El Des Lobo

Fábulas de la Tierra

Paola Giometti

El Destino del Lobo

Primeira edición: 2023

ISNB: 978-65-00-58694-7

Dedico este libro a mi hermana Ana Claudia y todos aquellos que ven en un perro algo más que un amigo.

Capítulo 1

El viento soplaba contra la manada, agudizando los sentidos de los lobos. Un rápido intercambio de miradas en la caída de la noche gris fue suficiente para una sincronización instantánea de pensamientos. Los pasos cortos y ligeros en la nieve fueron reemplazados por una marcha rápida y acelerada, al ritmo de sus corazones ansiosos por esa caza.

Un águila gritó en el cielo, ganando la atención del lobo alfa de la manada, antes de aterrizar en la cima de una roca y, desde allí, observando cuidadosamente toda la acción de esos lobos. El olor salvaje del camino de los ciervos llevó a los carnívoros a continuar. Cuando vieron que el grupo se abría frente a un acantilado, los lobos vieron la oportunidad de terminar con éxito esa cacería. Luego, el lobo alfa avanzó con más voracidad, eligiendo el caribú que su manada debía matar. Los lobos conocían esas rocas. Muchas otras cacerías se hicieron allí.

La elección había sido buena, ya que ese gran ciervo saciaría el hambre de la manada. Ya no era necesario asustar al animal para que se perdiera en el vuelo. El lobo alfa esperó el momento en que intentaría escalar la barrera de rocas antes de lanzarse inmediatamente sobre su costado. Y así lo hizo: usó la fuerza de sus garras y colmillos para evitar que el animal escapara. Luego vinieron los otros siete lobos. Pronto, el venado fue dominado por la sincronía de esos olfateadores. Los lobos más jóvenes usaron la fuerza para derribarlo, pero en la naturaleza, ningún animal sano se rinde fácilmente a la muerte.

Cuando el venado finalmente dejó de moverse, el lobo alfa aulló. Del mismo modo, los otros lobos respondieron, ansiosos por satisfacer su hambre. Por derecho, el líder eligió su parte. Entonces los otros comenzaron a comer. Vivirían otro día para una nueva cacería.

Había aprendido de mi bisabuelo el significado de muchos gestos de la naturaleza, a pesar de que nací en la ciudad y sigo viviendo allí. Me di cuenta del significado ingenioso de tantas cosas que una clase de ciencias nunca me hubiese enseñado. La caza del lobo fue una de las historias más notables que me contó cuando era muy joven. Siempre tuvo algo que enseñarme.

—El águila, encaramada en la cima de la roca, vio a los ocho lobos inclinarse ante el ciervo muerto – continuó mi bisabuelo contando. – Sabía que los animales veían comer como sagrado. Es por eso que casi todos se inclinaron ante la comida para comerla.

En ese momento, hizo el mismo gesto que nosotros para llevar la comida a la boca, inclinando un poco la cabeza.

—¡Así es como comemos! –dije, asombrado por esa revelación–. También inclinamos nuestras cabezas para conseguir comida. Solo usamos el tenedor.

—Eso mismo. En cuanto a los lobos, comen así: honran su propia comida, luego se inclinan, bajan la cabeza y casi la tocan en el suelo.

—¿Así? –lo imité, demostrando que tenía más habilidad que él–. ¿Me estoy inclinando?

Con esos ojos tiernos y arrugados, me miró y sonrió:

—Cuando tu abuelo tenía dieciséis años, lo llevé a un viaje para mostrarle algo muy interesante. Tu padre tuvo el mismo privilegio a esa misma edad. Por lo tanto, para mantener esa tradición, si estoy vivo hasta que cumplas dieciséis años, me gustaría poder llevarte a un lugar extraordinario.

Capítulo 2

Con los años, constantemente le recordaba a mi bisabuelo sobre el viaje que me había prometido. Cada vez, me miraba con curiosidad, sonreía, extendía los brazos y aullaba mirando hacia arriba. Me puso terriblemente ansioso y, al final, terminé riéndome así.

—¡Me llevarás a ver a los lobos, por supuesto!

—Si tuviera que ver lobos, te llevaría al zoológico, ¿no te parece? —simplemente respondió.

A medida que crecía, verlo abrir los brazos y aullar ruidosamente dondequiera que estuviera me hizo sentir muy avergonzado. Con el tiempo, me olvidé de esa promesa, aunque a veces la recordaba cuando escuchaba a personas hablar de montañas y lobos.

El día que cumplí dieciséis años, muchos amigos y familiares llegaron a casa para felicitarme, incluido mi bisabuelo. Se acercó sonriendo y me entregó un sobre. En el interior, había dos pasajes para viajar en tren.

Abrió los brazos y pensé que iba a aullar frente a todas esas personas, pero él no hizo eso. Solo esperó un abrazo y me besó en la mejilla. Sonreí y abracé al viejo con tanta fuerza que casi pude escuchar sus huesos crujir.

🐾 🐾 🐾 🐾
🐾 🐾 🐾 🐾

El tren fue la parte fácil del viaje. Después de horas de moverse por el paisaje de taiga, lleno de pinos rodeados de montañas frías y lagos oscuros y silenciosos, pudimos ver una cabaña en lo alto. Habíamos llegado en el momento adecuado, ya que el día se estaba convirtiendo en un crepúsculo nublado.

—Esta cabaña que ves en la montaña ha pertenecido a mi familia durante varias generaciones. Fue allí donde muchas leyendas fueron traducidas por tu tatarabuelo. Ha llegado el momento de ver de cerca sus historias.

El viejo estaba realmente apegado a las tradiciones familiares. Desde que era muy joven, me había estado contando cosas sobre nuestros antepasados. Ahora, quería contar otro capítulo de nuestra saga familiar.

La cabaña era simple, de madera. Tenía solo una habitación, con una puerta y una ventana. Pude ver que nuestros antepasados la usaban solo para dormir.

Después de dejar nuestras pertenencias, nos fuimos. Encenderíamos un fuego para cocinar algo para comer. De su bolso, sacó un folleto.

Me conmovió mucho. Era la primera vez que veía la vida salvaje tan de cerca. Me senté ante el fuego que, además de calentar y cocinar, también servía para mantener alejados a los animales.

—Hay lobos por aquí, ¿verdad?

Me miró de manera interesante. En ese momento, vino a sentarse a mi lado.

—Hoy escucharás una historia en compañía de la aurora boreal —sonrió y señaló el cielo colorido, con luces danzantes—. Una aventura que mi abuelo también me contó cuando tenía tu edad. La leyenda de un lobo llamado Kushi.

−¿Tu abuelo es mi...? −Es tu tatarabuelo. El hombre que construyó esta cabaña.

Por mucho que fuera un joven de la ciudad, las historias de animales salvajes siempre me fascinaron. Cada historia era como retroceder en el tiempo, a esa época en que solo era un niño. Nunca fui igual después de las historias que escuché. Todavía recordaba eso del lobo que veneraba la comida a la hora de comer. Después de eso, nunca volví a ver la comida como algo que estaba sentado en la mesa, esperando ser comido.

Miramos las montañas y la danza de colores en el cielo, causada por la aurora boreal. Para la ciencia, es solo un fenómeno óptico. Pero los antiguos vieron las luces del norte como algo místico.

−La leyenda de Kushi nació en un momento en que pocos hombres todavía entendían a los animales con solo mirar.

Y, abriendo el folleto, un cuaderno cosido, una emoción dibujada y una sonrisa. Me estremecí ante la colección de lobos y otros animales salvajes dibujados por mi tatarabuelo.

−Miró por la ventana de nuestra cabaña e, inspirado por las voces que dijo que escuchó de las luces del norte, dibujó la leyenda de Kushi.

Una lágrima corrió por su rostro, como si contarme esa historia pudiera hacerlo retroceder en el tiempo y vivir la situación conmigo a su lado.

—Kushi era un lobo con pelaje dorado y blanco que, de día, parecía fuego y, por la noche, el brillo de un lago. Tenía rasgos fuertes, una característica común de los lobos primitivos: gran tamaño, dientes robustos y un aspecto grosero.

El viejo parecía amar describir a Kushi. A veces, creo que le hubiera gustado tener un lobo como ella. Sin embargo, mucho más que describir, lo que realmente le gustó fue poder contar esa historia que muchos dijeron que era solo una leyenda narrada por los antepasados de las tribus que vivieron allí hace miles de años. En el fondo, creo que no es solo una leyenda, sino la reproducción más fiel de la verdad. Me dijo que había una noche en que el viento era fuerte y asustadizo, sacudiendo ruidosamente los pinos bajo la luna nueva, lo que prometía una oscuridad más rigurosa. La manada guardó silencio, dándose cuenta de que la naturaleza decía muchas cosas con todos esos gestos. Así fue como los lobos escucharon lo que la tierra tenía que decirles. Esa noche, los lobos escucharon el grito de un águila mientras observaban el baile de luces de colores en el cielo. La manada se sorprendió al escuchar durante la noche un animal de hábitos diurnos. Algo fue diferente.

La aurora boreal había traído consigo la imagen de los antepasados de los lobos: espíritus sagrados y gran sabiduría. Cuando un lobo escuchaba el aullido de un antepasado, era porque había sido predestinado para una tarea importante, y cuando un lobo anciano escuchaba ese aullido, estaba a punto de volverse ancestral con la llegada de la muerte natural. Esa noche, no fue solo la luna llena la que inspiró a los lobos. Imágenes colosales de sus antepasados estallaron en la aurora boreal.

Tuska, la loba marrón, era la más vieja. Ella escuchó los últimos aullidos de los antepasados. Sin embargo, esa noche, Kushi también pudo escucharlo. El sonido pareció golpear contra su pecho, haciendo temblar el cuerpo de la loba alfa. El resto del grupo no compartió ese contacto único de los antepasados. Solo la anciana y la loba alfa fueron tocadas por el Gran Aullido esa noche. Kushi miró esas imágenes con una mezcla de miedo y emoción. Poco entendió lo que estaba sucediendo. Debido a su casi ceguera, Tuska miró al cielo, pero no vio nada. Solo podía escuchar el aullido.

Los antepasados se han ido con el viento. Tuska caminaba con los ojos casi blancos de la vejez. Ella dijo que la ceguera era la última etapa de la vida de un lobo, y que los antepasados la prepararon para poder dar su último aullido.

Esa fue la primera vez que conoció a Kushi sin confundirla con otro lobo. En general, Leksy, el lobo blanco casi tan viejo como Tuska (pero aún con buena vista), la acompañaba para ayudarla a identificar a los compañeros lobos de la manada. Sabía que la loba alfa había escuchado el Gran Aullido de los antepasados. Kushi era uno de los lobos jóvenes más fuertes de la manada. Conquistó el liderazgo del grupo después de pelear con sus compañeros luego de la muerte de Luter, el lobo alfa predecesor de Kushi. En una fría noche de primavera, Luter había seguido las huellas de un grupo de caribú, denunciado por el olor salvaje que provenía del Sur. Al cruzar la orilla del río para llegar a su caza, la primavera rompió las aguas heladas. Luter se dejó llevar por las corrientes de aguas frías y profundas.

Habían pasado casi dos manantiales desde que Kushi se convirtió en la loba alfa. La manada prosperó con la caza abundante y los jóvenes habían crecido saludables.

—Kushi.

Tuska llamó a la loba alfa, mirándola vagamente con ojos casi ciegos. La líder siempre escuchaba los consejos de los lobos mayores.

—Se escuchó el Gran Aullido.

—El gran aullido? Así que lo que vi en el cielo fueron los...

—No fueron solo las estrellas.

Aturdida, Kushi no pudo terminar la frase y trató de pronunciar otra, sin éxito.

—Entonces ... significa que ...

—Los antepasados la eligieron —dijo Leksy.

—Pero ... ¿Yo? ... ¿Para qué? —Kushi miró al cielo, asustada.

Antes de que la vieja loba marrón pudiera decir algo, la loba alfa se derrumbó en la nieve como si hubiera caído en un sueño profundo, con espasmos y aullidos.

Cuando recuperó la conciencia, todos vieron una expresión de desolación en ella, mientras su pecho se agitaba.

Una gran loba preñada se acercó, curiosa, y olisqueó a la recién despierta. Fue Lohri.

—¿Kushi ...? ¿Estás bien?

Kushi miró a su alrededor, todavía aturdida por lo que había sucedido.

—¿Tenías una buena vista de los antepasados? —Nipo

quería saber, de inmediato. Fue uno de los lobos más preocupados por llevar a cabo las enseñanzas de los antepasados.

—No sé cómo ... pero los antepasados quieren que salvemos a nuestra especie.

—¿Estamos en peligro? ¿Es la manada de hombres cazando lobos? —preguntó Anik, quien era el más pequeño de ellos, pero reconocido por su notable inteligencia.

—Es peor que ser cazado y asesinado —la voz preocupada de Kushi tembló.

La vieja loba marrón se levantó y caminó hacia ella. Todos los otros lobos murmuraron, tensos.

—¿Qué es peor que la muerte? —preguntó Tuska.

—Ser domesticado —respondió la loba alfa, en un tono preocupante—. Los antepasados dijeron que los lobos serán domesticados por los hombres en sus aldeas.

—¿Domesticado? —Leksy, el experimentado lobo blanco, había escuchado que el hombre había estado tratando de domar a algunos lobos hace algún tiempo.

—¿Qué viste? —preguntó Nipo.

Este lobo ahora tenía una razón más para preocuparse por la preservación de su familia: los cachorros de Lohri también eran suyos.

—Vi un hocico tocar mi frente y escuché otro largo aullido. La misteriosa sombra de la aurora boreal emergió, dibujando imágenes que me dejaron... petrificada. —Los lobos escucharon atentamente la historia.

—Nuestros descendientes estaban esclavizados, atados, hambrientos y cansados bajo el sol y la lluvia, abandonados a la soledad y la muerte. Eran criaturas parecidas a lobos, pero ligeramente diferentes. Ese parecía ser el destino del lobo.

La manada quedó impactada por esa escena narrada por Kushi. Los murmullos revelaron su indignación. Luego continuó contando lo que vio, y una oscuridad aún mayor cayó sobre ellos. Hablaba de cachorros indefensos, abandonados y arrojados por hombres en amplios y extraños senderos de tierra negra, donde grandes monstruos corrían con ojos que se iluminaban. Los cachorros esquivaron la muerte, y aquellos que fallaron, la encontraron demasiado pronto.

—Los antepasados nos muestran que este será el destino de nuestros descendientes en innumerables primaveras —dijo Kushi, con miedo.

—¿Realmente lleva tanto tiempo? —Tuska susurró.

La líder bajó la cabeza, recordando que ese año fue su primer intento de convertirse en madre. Pero ella no había tenido éxito. Por un momento, sintió alivio, temiendo el destino de sus descendientes si los hombres lograban capturarlos.

—Esta es una advertencia para luchar contra ese destino —completó Tuska. Todos lo miraron desolados—. Cuando nació un lobo, se enteró de que el hombre era un animal peligroso, que comandaba el fuego y trataba de dominar a todos los otros animales.

—No escuché a los antepasados —dijo una voz gutural entre los lobos. Era de Ludo, el lobo con el pelo largo y negro—. Pero estoy de acuerdo. Cada lobo es responsable de tratar de cambiar este destino.

—Los hombres han domesticado a los lobos para que se conviertan en sus esclavos —dijo Nipo, al pasar por encima de una roca—. He visto a los lobos cambiar su comportamiento y convertirse en monstruos uniéndose a los hombres.

—Grupos de asesinos hechos de la unión entre hombres y lobos —enfatizó Lohri—. Esta asociación aumenta cada día, porque los lobos se están reproduciendo en cautiverio. Ya no es seguro caminar en el bosque con nuestros jóvenes.

—Lohri y Nipo tienen razón —Leksy estuvo de acuerdo—. Necesitamos organizarnos antes de que sea demasiado tarde. Algunas aldeas de hombres han estado muy tranquilas ultimamente. Pero el viento nos trae el aroma del hombre con el de los lobos. Un olor mixto y peligroso.

—Un lobo no puede con el hombre —dijo Nipo—. Nunca podemos con el fuego maldito que saben hacer.

—No habrá un lobo con el coraje suficiente para evitar que seamos dominados. No podemos contra las aldeas humanas —acordó Ludo.

—Muchos son jóvenes y fuertes —dijo Kushi, caminando entre ellos—. No nacimos con este destino porque los ancianos protegieron a la especie. No fuimos cazados porque estábamos protegidos. Solo podemos proteger a nuestra descendencia.

Todos miraron a Kushi. Probablemente nunca pensaron de esa manera, ya que los lobos alfas siempre tomaban decisiones basadas en el presente, no en el futuro. Los ojos blancos de Tuska revelaron admiración. Leksy, que era un lobo experimentado, pero no tan viejo como la marrón, se acercó a la noble Kushi y miró con orgullo a la que había sido su cachorra. No fue casualidad que se hubiera convertido en la alfa.

—Le aconsejo que vaya y hable con Kodiak, el gran oso pardo —dijo Leksy.

Su hocico blanco tocó la cabeza de Kushi. Inmediatamente sintió coraje y, por un instante, parecía pequeña como una ardilla. Leksy continuó:

—El gran oso se ha enfrentado a los hombres y podrá decirte lo que se necesita para vencerlos.

¿El gran oso pardo?, pensó Kushi, aprensiva. Nunca había escuchado una historia en la que un animal se atreviera a cruzarse en su camino. Ella misma nunca había visto al oso en su vida.

—Dingo —llamó Tuska—. ¿Dónde está Dingo?

La vieja loba marrón casi ciega no oyó una voz entre los lobos.

—Debes estar en su guarida, durmiendo como siempre —concluyó Leksy—. Ese inconveniente viejo lobo sabe cómo llegar a donde está el oso.

Cuando escuchó el nombre de Dingo, Kushi sintió un escalofrío en el vientre. Sus oídos palpitaban. Nadie esperaba tener que ser guiado por un lobo excéntrico durante un viaje tan importante.

—Dingo no ha sido un lobo muy espiritual, Tuska —argumentó Leksy.

—Entonces es hora de volver a ser —dijo Tuska apuntando con la nariz hacia la colina de abajo, donde estaba la guarida de Dingo—. Él sabe dónde vive el oso. Sé que él lo sabe.

Dingo era uno de los mejores rastreadores de la manada. Encontró a los mejores luchadores, pero no tenía la capacidad de atraparlos. Los ancianos dijeron que ese lobo nació casi sordo y, por lo tanto, hacía demasiado ruido donde quiera que fuese, además de interrumpir conversaciones importantes y hablar demasiado, en comparación con un lobo común. Pero en general, pasó la mayor parte de su tiempo en guaridas que él mismo cavó. Dijeron que se había desilusionado de la vida después de la muerte de su hermano mayor, Luter. Vio al lobo que siempre quiso ser.

—¡Dingo! —llamó Leksy del lado de afuera—. Dingo, ¡levántate! Estamos en una reunión.

No escucharon nada. Kushi pensó que era mejor así. No quería que su viaje tuviera que comenzar de esa manera. Pero no sería tan fácil olfatear al oso sola.

—¡Dingo! —gritó Leksy—. ¡Despierta, viejo lobo!

Entonces, un gruñido resonó en esa guarida, que olía a fermento de pino. Un lobo negro con un pelaje avergonzado apareció con los ojos entrecerrados.

—¿Ya estoy frente a un antepasado? —bromeó el lobo burlón, mirando a Tuska y Leksy—. Antepasado, ¿qué está pasando frente a mi guarida? ¡Todavía no es hora de que este viejo aquí se una a ti! Soy demasiado vago... —dijo, estirando sus patas en la nieve, estirando y bostezando poco después.

Leksy golpeó la punta del hocico de Dingo con la parte suave de su pata y un aullido escapó del lobo, que colocó su cola entre sus piernas.

—Necesitamos un favor, Dingo —Tuska estaba tranquila, pero mantuvo un tono serio.

—¿Un favor? ¿Otro favor? Solo vienes a mí con intereses —dijo Dingo, tambaleado—. De acuerdo, puedes contar con este viejo lobo —miró a Kushi con una sonrisa.

—Necesitamos que lleves a Kushi para ver al oso pardo —anunció la loba marrón.

—¿Kodiak? —repitió el lobo negro—. ¿Pero para qué? ¿No sabes que este oso no es amigable? Esto no es bueno...

—No hay tiempo para explicarlo ahora. La alfa ha decidido que lo harás, así que irás sin dudarlo —sentenció Tuska.

El viejo lobo negro guardó silencio por un momento. Luego continuó:

—Ahora, si lo pones de esa manera, por supuesto que puedo hacerlo. Mañana realmente no tengo nada que hacer...

—Pero es por ahora —dijo Leksy— o nuestra especie desaparecerá.

Él guardó silencio y miró a Kushi.

—¿Y esperas que un lobo que no sabe cazar y una manada liderada por un lobo inexperto pueda salvar a nuestra especie? Por cierto, salvar de qué, ¿eh?

Nadie respondió. Todos se miraron acurrucados, preguntándose si esas palabras podrían despertar la furia de la alfa y que luego expulsaría a Dingo de la manada como castigo. Sin embargo, Kushi se dio cuenta de que el viejo podría tener razón. Pero cuando miró a los lobos, estaba claro que todos irían con ella en este viaje, ya que un lobo nunca camina solo. Ella sabía que podía contar con su familia.

—Estamos en siete —dijo Tuska.

—En ocho —Leksy susurró en su oído, dándose cuenta de que la anciana no había visto bien.

—En ocho —se corrigió a sí misma, como si no se hubiera equivocado—. Somos una familia de ocho lobos en un viaje incierto. Si uno de nosotros perece, Kushi, siempre adelante, como nos enseñaron los antepasados.

Dingo sacudió su cabello.

—¡Uy! ¿Padecer? ¿Como así?

Kushi asintió, dándose cuenta de que la opción de dejar atrás a un lobo solo se tomaría cuando un miembro de la familia no pudiera continuar. Así fue enseñado hace miles de años por los antepasados, y así es como se preservaba la especie. Se volvió hacia Dingo y le contó sobre el Gran Aullido.

En el fondo, ese viejo lobo negro se dio cuenta de que era su oportunidad de hacer algo en nombre de su difunto hermano Luter y sus descendientes. Y él sonrió con orgullo.

Capítulo 3

Los lobos se preguntaban cómo Dingo realmente podría conocer el camino que llevaría al temido oso. A menudo intercambiaban miradas sospechosas, preguntándose si un lobo que no sabía cazar podía recordar un camino a través del bosque.

Dingo los guió a través del pie de las montañas, en un ritmo rápido y ansioso. Sus huellas eran en realidad más grandes que las de los otros lobos, y sus dedos se acurrucaban alrededor de las hojas de los arbustos. Pero los lobos confiaron en su olfateo tan excitado como una pequeña ardilla. La líder, por muchos momentos, probó el aire con su nariz, tratando de prestar atención a todos los olores que pasaban. Era necesario no olvidar nunca ese camino, porque un lobo siempre tenía que estar preparado para separarse de la manada y luego intentar, cueste lo que cueste, encontrarlo de nuevo, a pesar de que sabía que nunca lo esperaría.

Los valles tenían una suave cubierta verde pálida, característica de los brotes a principios de primavera. Kushi disfrutó del nacimiento de la vegetación, porque esa vista la hizo olvidar por un momento todo ese frío.

—¿Cómo sabes el camino al viejo oso? —preguntó la líder, tratando de llegar a Dingo, que siguió adelante a toda prisa.

Dingo miró hacia atrás y sonrió muy divertido.

—El oso es un viejo amigo.

Tuska gruñó en el aire, y pronto el viejo lobo reanudó la conversación.

—En realidad, yo era un joven lobo que no estaba tan preocupado por seguir a otros en largas cacerías. En una de estas, olí un olor tan malo, pero tan desagradable que decidí a mi propio riesgo saber qué estaba pasando en los bosques con un aroma tan distinto. Hace tiempo que Kodiak apesta.

Los lobos de la manada escucharon esa historia con gracia. Todos sabían que Dingo solo tenía historias extrañas que contar.

—Crucé cinco montañas y conté más de una vez todas para asegurarme de que habían cinco montañas y no solo cinco colinas, porque el olor de las colinas no tiene el mismo olor que las montañas.

Dingo se echó a reír, como diciendo algo relevante para los más jóvenes, ignorando, sin embargo, que casi entendían poco con la confusión que estaba haciendo con la información, algunas de ellas muy irrelevantes. Y él continuó:

−Y fueron exactamente cinco montañas enteras hasta que logré alcanzar una llanura verde y llena de hojas de pino fermentadas por calor. ¡Ese fue el pináculo de mi inspiración!

Los lobos se miraron con curiosidad y luego sonrieron.

−Cinco montañas −dijo Lohri, averiguando solo la información que les interesaba−. Ya hemos gastado una.

Los lobos se dieron cuenta de que el cansancio y el hambre seguramente les llegaría muy pronto. Cinco montañas estaban a una distancia muy larga. Kushi se dio cuenta de que sus lobos motivados irían hasta el final. Esta fue una fuerza que los mantuvo en marcha.

Dingo se dio cuenta de que no había contado completamente la antigua historia. Casi siempre se detenía en medio de sus relatos y olvidaba todas las demás cosas que deberían decirse.

—Y ahí estaba el viejo oso —dijo Dingo con una sonrisa—. ¡Ese oso era feroz, y qué feroz era! ¡Territorialista hasta los bigotes de los antepasados!

—Pero, ¿qué te hace tan sabio? —preguntó Nipo—. ¿No hay una ardilla más sabia que este oso para buscar? —bromeó.

—Este oso es tan viejo que no hay forma de contar su edad. Cuando nació Tuska, el oso ya era viejo —y se echó a reír.

Tuska miró al lobo negro avergonzada y gruñó, golpeando un arbusto cuando pensó que era su cola. Luego murmuró algo en el aire.

Pero un extraño grito resonó entre las montañas, haciendo que Kushi se detuviera de repente y, sobresaltado, se le levantara el pelo de la espalda. Los lobos gruñeron, mirando hacia la oscuridad al oeste. Kushi lanzó un aullido lleno y vigoroso, alentando a los otros lobos de la manada a repetir ese acto. Así fue como los lobos asustaron a sus posibles depredadores: revelándose en mayor número, fuertes y peligrosos, a cualquiera que tuviera la intención de arriesgarse a una proximidad más allá de los límites aceptados por la manada.

Kushi rápidamente aulló por última vez y corrió con los lobos al pie de las montañas, donde rápidamente se lanzaron a través de la estacada de troncos en el bosque de pinos. Los viejos lobos conocían esos caminos, que les eran muy familiares en los días en que los veranos atraían a los ciervos a la maleza de los campos abiertos. Leksy y Tuska recordaban bien los tiempos en que rodeaban la comida al borde de las rocas, escondidas en alguna parte del oscuro bosque de coníferas. El viento extendió el aroma de los lobos y un escalofrío en el vientre golpeó a Kushi, dándose cuenta de que los metería en problemas. Escucharon docenas de gritos de miedo y un pesado paseo por la nieve. Intentaron desviarse de la ruta, asustados.

—¡Están muy cerca! —gritó Dingo—. Puedo oler a los humanos persiguiendo mi nariz.

—¡El viento está loco! —dijo Kushi—. No puedo olerlos bien. ¿Puedes escucharlos?

—Ya no los escucho —respondió Lohri.

—Yo tampoco puedo verlos —dijo Ludo, mirando hacia la oscuridad.

—El viento no está a nuestro favor —dijo Dingo—. Todavía huelo el olor peligroso de los hombres, y también sé el olor de cuando tienen miedo. Cuando tienen miedo, son tan peligrosos como un oso asustado.

—Pero no tienen miedo. El fuego que saben hacer es tan mortal como el oso pardo —dijo Nipo—. Ya vi lo que esas llamas pueden hacer con las ramas secas de los pinos.

Innumerables hombres emergieron de las sombras de los pinos, como criaturas aterradoras de la noche. Los lobos saltaron contra ese ataque, sobresaltados por la emboscada. Nunca habían visto a un grupo de hombres tan expertos en emboscar a los lobos.

—¡Hay un lobo entre ellos! —gruñó Ludo.

Una sensación de traición golpeó la manada de Kushi. Su propia especie los amenazaba. Los lobos esquivaron a los hombres y se dieron cuenta de que habían extinguido innumerables antorchas en la nieve, porque sintieron un fuerte olor a madera quemada al exhalar. El extraño lobo guió a los hombres a través de la oscuridad, acostumbrado a la tenue luz de la noche. Durante esa fuga, con los lobos desviando su ruta para perder a los hombres en la oscuridad, un profundo grito resonó en la garganta de uno de los lobos.

—¡Lohri! —exclamó Nipo, desesperado cuando la vio rodar por la nieve cuando fue golpeada fuertemente por el costado.

La gran loba saltó y, al parecer para recuperar su fuerza, corrió aún más rápido para alcanzar su manada antes de quedarse atrás y que los hombres lograran cazarla.

Apenas pudo prestar atención dónde pisaba. La loba se dejó guiar por el rastro de sus amigos, y escuchó a todos que la llamaban a correr. Un intenso dolor casi la detuvo más de una vez. Sin embargo, no había ninguna mancha de sangre en su piel que informara lesiones alarmantes. Entonces corrió tan rápido como pudo. Era la única oportunidad que tenía para sobrevivir.

Cuando los lobos perdieron a los hombres, no detuvieron su búsqueda. Era necesario mantener un ritmo rápido. Vagaron por el bosque de las montañas, y estaban tan asustados por ese encuentro oscuro que apenas recordaban el peligro que enfrentarían cuando entraran en el territorio del oso pardo. Este sería otro encuentro alarmante. Kushi no dijo nada, pero estaba ansiosa por conocer al carnívoro que ya había enfrentado a los hombres y sobrevivió.

Ciertamente él conocía las debilidades de ese animal peligroso que crecía en las aldeas.

🐾 🐾 🐾 🐾
🐾 🐾 🐾 🐾

Dingo sintió que la nieve debajo de sus pies era algo suave. Se desvió de ese punto porque quería evitar que se hundiera demasiado. Sintió un montón de ramas ocultas bajo la nieve acurrucarse en sus patas. Sin embargo, el viejo lobo se detuvo y no dijo nada. No quería mostrarle a la manada que estaba allí de nuevo, lo que dificultaba otro viaje al no saber cómo elegir los mejores lugares en los que pisaba.

—Dingo... —llamó Kushi, al verlo detenerse.

Anik siempre prestó atención a Dingo. Ella sabía que él necesitaba ayuda y por eso, incluso sin que él lo supiera, ella siempre lo estaba mirando.

—Dingo, ¿qué está pasando? —Anik avanzó rápidamente.

Luego vio que el viejo lobo la miró en una fracción de segundo, antes de que su cuerpo se hundiera en la nieve y desapareciera por completo. Escucharon un grito.

—¡Dingo! —gritó Kushi, corriendo a su alcance.

La manada se detuvo, se sobresaltó y miró hacia atrás.

—¿Qué pasó? —Tuska saltó, preocupada.

—Dingo cayó en un agujero —explicó Kushi, preocupada.

La caída del lobo levantó partículas de nieve en el aire, lo que dificultó la visión de sus compañeros, que no podían verlo.

—¿Estás seguro de que se cayó o se arrojó allí? —dijo Ludo, mostrando sus dientes como si sonriera.

Los lobos ya estaban mirando el agujero donde Dingo había caído, cuando Leksy le impidió a Tuska caminar.

—Eso es una trampa. Un foso hecho por el hombre —dijo Tuska.

Los lobos se estremecieron ante las palabras.

—No puedo oler a los hombres —dijo Nipo.

—Es una trampa vieja y probablemente pasada por alto —dijo Leksy.

—¡Mira! —Ludo había notado algo—. ¡Puedo verlo!

Cuando las partículas de nieve se asentaron, los lobos miraron el fondo del pozo y vieron a Dingo, acostado.

—¡Dingo! ¡Dingo! ¿Puedes oírme? —Kushi quería saber si había sobrevivido a esa caída, después de todo, ya no era un joven lobo.

Al darse cuenta de que Dingo no decía nada, la loba alfa

olfateó el aire con gran preocupación. Había muchas rocas debajo, y el viejo debe haberse golpeado la cabeza.

—¡Puedo verlo respirar! —dijo Lohri—. ¡Mira!

Kushi podía ver el humo del aire caliente saliendo del hocico de Dingo en su aliento. Luego miró su manada.

—Necesitamos ayudarlo, incluso si es muy peligroso —completó Kushi—. Dingo sabe dónde está el hábitat del oso pardo.

Tuska fue uno de los lobos que le enseñó mucho a Kushi sobre las enseñanzas de los antepasados. Ella fue quien le enseñó que una manada no se arriesgaba por un lobo. Sin embargo, Kushi tenía razón. Era necesario salvar a Dingo si querían alcanzar al oso. Y, antes de que los lobos tuvieran tiempo de contradecir la elección de Kushi, Anik intervino rápidamente con una solución:

—Podemos arrojar nieve allí abajo. Podremos sacar a Dingo de allí haciendo que el e foso sea poco profundo.

—Sí —estuvo de acuerdo Lohri, que era excelente para cavar—. Cavemos la nieve.

Pero, a la señal del primer movimiento, la hembra gritó

y se contrajo con un dolor insoportable. Los lobos la miraron con preocupación, pero ella no dijo nada al respecto y simplemente se alejó.

Anik empujó con su hocico un pequeño montón de nieve, que cayó en el pozo golpeando a Dingo en la cara. El lobo saltó, seguido de un fuerte grito.

—¡Antepasado celestial! —gritó, todavía quejándose—. ¡Alguien me está enterrando vivo!

Los lobos sonrieron aliviados al ver que el viejo lobo negro estaba bien.

—¡Dingo! —llamó Anik—. Dejemos el foso más superficial para que pueda subirse por él.

La joven loba comenzó a cavar y esponjar la nieve. Nipo y Ludo se unieron a ella. Mientras tanto, Kushi y Leksy olisquearon el viento a su alrededor, atentos para ver si habían hombres rondando.

Dingo vio caer la nieve y la desesperación por ser enterrado vivo no lo dejó. Aullaba, esquivando el montón de nieve que le caía en el pelo y sacudiendo su cuerpo para deshacerse de ella.

—¡Tranquilo, lobo temeroso! Ayúdanos a hacer una colina de nieve allí abajo —ordenó la pequeña loba inteligente, que empujaba la nieve con su hocico. Luego dio la espalda al agujero y comenzó a arrojar nieve adentro, como si estuviera cavando.

—Estoy en el fondo de un pozo. ¿Tiran nieve sobre mi hocico y todavía me envían a trabajar? —Dingo se quejó, comenzando a apilar la nieve que le arrojaban.

Cuando los lobos lograron que ese foso fuera más superficial, Dingo tomó impulso y saltó a la superficie.

La profundidad era lo suficientemente grande como para atrapar a un oso pardo. Dingo supuso que tal vez era Kodiak a quien los hombres intentaban capturar. Pero también sabía que, en esa época del año, Kodiak no abandonaba el río. Podía olerlo desde muy lejos. En la primavera, ese oso pardo nunca perdía el tiempo en el bosque, ya que el río se descongela en esa estación, y podía hartarse de los peces.

Nipo vio que Lohri estaba callada. Se acercó a ella, preocupado, y la encontró acostada detrás de un arbusto. Ella le dirigió una mirada triste y melancólica. Kushi llegó poco después, preocupada por la gran hembra. Vio sangre en la nieve. Entonces, la líder pronto entendió que Lohri había perdido a sus hijos. La hembra lloraba casi en silencio, y sus ojos miraron la nieve roja con su sangre.

−Este ... será ... será el destino ... −dijo, con el pecho agitado, recordando el terrible momento en que los hombres emboscaron a la manada y Lohri fue golpeada en el costado por un humano.

Los lobos olieron el olor a sangre, y no pasó mucho tiempo antes de que todos se reunieran en torno a esa tragedia. Un silencio aún mayor perturbó el sentimiento de los lobos. Entonces, una voz débil y temblorosa habló.

−Esto es muy triste −Tuska no escondió una fuerte emoción causada por el momento.

−¡Nuestra manada ha sido maldecida por el hombre! −aulló Nipo, enfurecido.

—No podemos esperar un minuto —la voz gutural de Ludo resonó en las mentes de los lobos.

—Así es —estuvo de acuerdo Kushi, mirando los ojos de Lohri—. No podemos parar ahora, porque los hombres son muy inteligentes. Saben que el olfateo de un lobo es tan poderoso como los ojos de un águila. Y están usando lobos contra su propia naturaleza.

Lohri se puso de pie, motivada por la sensación de pérdida, ignorando el dolor de su hematoma y sangrado. Luego cerró los ojos y mostró los dientes mientras caminaba, resistiendo todo lo que, en ese momento, podía hacer que se desmoronara. Pero estaba lista para enfrentar a los hombres.

Continuaron el largo viaje, absortos en sus pensamientos. No dijeron nada más durante mucho tiempo.

🐾 🐾 🐾 🐾
🐾 🐾 🐾 🐾

La luna llena ya estaba en el horizonte y el hambre había golpeado a los lobos. Olían un ciervo muy grande: un caribú solo y herido. Kushi sabía que los antepasados los habían guiado a ese pobre animal indefenso para ayudarlo a aliviar su dolor y así también satisfacer el hambre de los lobos. Había descubierto el animal herido muriendo en la oscuridad del bosque, cuando se detuvo a la distancia, con los otros lobos. No tenían dudas de que ese ciervo se había cruzado con un humano, resultó herido y, aún así, logró escapar. Los animales generalmente podían reconocer las lesiones causadas por otros animales. Pero las lesiones humanas siempre fueron extrañas. Kushi reconoció que vivían en el bosque y que también eran carnívoros, como osos y lobos.

La manada se sirvió la carne de caribú antes de que terminara la noche. Estaba claro que, en la naturaleza, nada sucede por casualidad. Tuska le explicó a su líder que el encuentro había animado a los antepasados de los lobos y, asimismo, a los antepasados de los ciervos.

—Los antepasados no quieren que sus hijos sufran —dijo la vieja loba marrón—. Los que sufren son aquellos que están al final de su ciclo como criaturas para unirse a sus antepasados y convertirse en antepasados de una generación aún por nacer. Pero hay quienes sufren y aún no están al final de su ciclo. En este caso, el sufrimiento es solo un estímulo para hacer que la criatura reaccione. Lo mismo ocurre con el hambre, que causa dolor al lobo. Esto te motiva a comer.

Caminaron durante toda la mañana. Anik había sugerido que aceleraran los pasos, ya que el encuentro con Kodiak sería más seguro si ocurriese durante el día, cuando el oso pudiera verlos bien. Tuska estuvo de acuerdo, ya que un oso asustado se convierte en una de las criaturas más peligrosas del bosque.

—Creo que es más sabio que solo uno de nosotros hable con él —aconsejó Leksy—. No debemos arriesgar todo el grupo.

No es posible que sea tan terrible, pensó Kushi para sí misma, sin imaginar lo que estaban a punto de enfrentar. Y notó que, lejos de allí, un gran águila los había acompañado durante algún tiempo.

Capítulo 4

El viento que soplaba contra los lobos había tomado el aroma de Kodiak. Dingo guió a la manada a la cima de las rocas, desde donde se podía ver un río oscuro. Kushi estaba asombrada que un lobo que no era bueno cazando fuera tan bueno oliendo un oso. Vieron al gran oso pardo parado en el agua del río, atrapando el salmón que nadaba contra la corriente. Era realmente grande, con cabello castaño como el tronco de un pino.

La manada de Kushi se acurrucó entre los arbustos del acantilado, mirando y olfateando el aire, con miedo. La líder sabía que todos tenían miedo de acercarse al gran animal, y Dingo había enfurecido hacía mucho tiempo a Kodiak. Quizás no era el más adecuado para hablar con el oso.

La vieja Tuska se acercó a su líder, sabiendo cuál sería la elección correcta. Kushi la miró con desaprobación, pero antes de que ella dijera algo, la loba marrón la miró con ojos opacos de ceguera avanzada.

—Kushi, iré adonde Kodiak.

—Temo por tu fragilidad, Tuska.

—Haré que Kodiak entienda que necesitamos su consejo.

La alfa sabía que, según las enseñanzas de los antepasados, esa era la decisión correcta. Por esa razón, asintió con la cabeza.

Y así, sin decir nada más, la vieja marrón bajó la roca por su camino más largo, lentamente, porque veía poco y, por lo tanto, necesitaba tener cuidado con los obstáculos. Además, no quería que el oso la notara. El viento vino contra los lobos. Si se callaran, el oso no tendría forma de descubrir el paradero de la manada.

Tuska solo vio manchas oscuras entre puntos claros, causadas por el resplandor diurno que se reflejaba en las aguas del río. Pero incluso sin ver realmente con la precisión de un joven lobo, la vieja loba marrón sintió el agua fría tocando sus patas delanteras. Se detuvo por un momento e intentó escuchar al oso. Además de sentir el fuerte olor a pescado podrido que emanaba, Tuska también podía percibir su respiración no muy lejos de allí. En silencio, dio otro paso, y otro, hasta que sus patas estuvieron en la corriente de agua. Si fuera necesario, sabría que la orilla del río no estaba lejos de allí e inmediatamente correría para allá.

Ludo, Nipo, Lohri y Anik sintieron que los pelos de su espalda se erizaban por completo cuando vieron al oso levantar la nariz y olisquear el aire, notando el acercamiento de Tuska. No pasó mucho tiempo para ver a la vieja marrón parada en el agua.

El oso lanzó un pequeño rugido ronco al aire. Entre sus dientes, había un pez, que dejó caer por la mandíbula y cayó al agua, ya sin vida. Luego se volvió hacia Tuska y aulló enojado.

Tuska se encogió en el agua y tuvo miedo cuando escuchó la respiración del oso pardo acercarse. Caminó lentamente hacia la vieja loba. La oscuridad de las aguas se confundió con el color oscuro del cabello de Kodiak. Ocasionalmente, un salmón chocaba con sus patas.

—Viejo Kodiak, necesito tu ayuda —dijo la loba, casi ciega, sintiendo su frágil cuerpo temblar de miedo.

El olor del animal se acercaba cada vez más, y el ruido de su caminar sobre el agua era tan fuerte que se preguntó qué tan grandes serían sus patas. Debía de estar a poco más de cinco metros cuando miró a Tuska, esperando escuchar lo que ella tenía que decir.

−¿Por qué me molestas, loba ciega? −él la reprimió, con una voz ronca que la hizo temblar.

No tenía tanto miedo cuando vio al hombre corriendo el fuego, pero estar casi ciega ante un predador como ese oso daba mucho miedo.

El oso se dio cuenta de que la loba estaba temblando y que, al mismo tiempo, se había puesto totalmente indefensa, revelando que no representaba ninguna amenaza para él. Tuska se inclinó sobre sí misma, bajando las orejas y acercando su cuerpo al suelo, de modo que sintió que el agua helada la tocaba. La loba anciana sabía que era necesario mostrar sumisión ante una criatura amenazante. Temblando, aterrorizada, sabía que sería su única oportunidad de salir con vida.

−Lo siento, gran oso. Pero mi angustia ofreció coraje a mi viejo corazón. Necesito tu consejo, Kodiak. Necesito saber cómo enfrentar al hombre.

Al escuchar esas palabras, el oso se rió tan horriblemente que su voz cruzó el sonido de las cascadas.

—¿La anciana ciega cree que puede enfrentar al hombre? Ni siquiera me considero capaz de enfrentarlo. Solo el hombre mismo puede contra sí mismo.

Tuska sintió el peso del agua en sus piernas. Sintió el salmón chocar con ella. Cientos de ellos. Podría haber jurado que ese oso pudo controlar las aguas y los peces. No sabía si su senilidad estaba afectando su juicio de la lógica, pero el hecho era que las aletas resbaladizas chocaban contra sus patas, evitando que ella se retirara silenciosamente a la orilla. El viaje allí había afectado sus huesos, porque sintió el agua oscura tan pesada en sus patas que casi no podía caminar sobre ella.

—Nuestros lobos bebés están condenados a un destino horrible con el hombre —trató de explicar, dándose cuenta de que el oso no la dejaría ir. —Necesito saber cómo evitar esto.

—Estás molestando mi comida. Y, con hambre, mi estado de ánimo empeora.

Tuska trató de moverse. Se dio cuenta de que el peso del agua se había vuelto aún mayor. Unos pasos más y el oso la habría alcanzado.

—¿Lo estoy viendo bien? —dijo la vieja loba marrón—. ¿Mi ceguera me llevó al oso equivocado?

—Soy el único gran oso pardo aquí —respondió bruscamente—. Yo era el único capaz de enfrentar al hombre, y recibí una marca en mi espalda. Pero sobreviví.

—¿Podría un lobo más fuerte vencerlo? —arriesga—. ¿Un lobo guerrero?

—¡Un lobo no es rival para un oso! —gruñó Kodiak—. ¡Ya dije que solo el hombre puede contra el hombre! Además de ciega, ¿estás sorda, vieja loba?

Tuska se dio cuenta de que el viento estaba cambiando y eso la preocupaba mucho.

—Entonces —dijo ella en voz muy alta— ¡enfréntate al hombre con el que conoce al hombre de cerca! ¿Y qué animal conoce al hombre de cerca?

En las rocas, Kushi y los otros lobos se sorprendieron al darse cuenta de que Tuska había dado su mensaje. Sería necesario encontrar alguna criatura que conociera al hombre de cerca y que supiera, quizás, su debilidad. Esa fue una pista vaga. Kushi ni siquiera sabía dónde continuar su búsqueda.

—¡Monte de los aullidos! —susurró Leksy inmediatamente a su líder.

¿Monte de los aullidos?, pensó Kushi, perpleja.

Un aullido cruzó el horizonte y los corazones de los lobos parecieron congelarse cuando se dieron cuenta de que el viento había cambiado de dirección, llevando el olor de la manada directamente al oso. Kodiak levantó la nariz y descubrió que habían varios lobos al acecho. Alarmado, instintivamente avanzó hacia Tuska, hundiendo los dientes en el frágil cuerpo de la anciana.

La líder miró al animal, entendiendo que esa vieja loba, que también la amamantó cuando era solo un cachorro, se había ido para convertirse en un ancestro.

Kushi saltó ferozmente sobre las rocas, avanzando con la manada. Rápidamente llegaron al río. Indignados, los lobos gruñeron inquietos, esperando que la alfa diera la orden de atacar. Kodiak tenía a Tuska entre los dientes cuando se puso de pie sobre sus patas traseras de nuevo. El oso arrojó el cuerpo de Tuska con desprecio al río.

—¡Lobos traicioneros! —rugió el oso, guturalmente, muy enojado—. ¡Plagas nocturnas!

Saltó del agua y corrió hacia los lobos que, asustados, trepaban las rocas. Kushi, Ludo y Lohri se posicionaron para que Kodiak no pudiera trepar para atraparlos, invirtiendo mordeduras agresivas en él, antes de que lograra alcanzar la cima de las rocas y finalmente atrapar a otro lobo.

—¡Retírense ahora mismo! —aulló Kushi, desesperada.

Ella sabía que los lobos no eran rival para la fuerza de ese oso.

Entonces, ella gruñó ferozmente. Le dio un mordisco violento al hocico de Kodiak, que echó hacia atrás su enorme cabeza, asombrado por la profunda herida que había obtenido de un carnívoro que creía que era tan inferior. Estaría marcado para siempre.

La loba alfa rápidamente recogió su manada. No había más que hacer para salvar a la pobre Tuska, que yacía en el territorio del oso. Luego corrieron hacia el norte, con un peso en sus corazones. Fueron a Monte de los Aullidos, en un silencio que no habían conocido por mucho tiempo.

Capítulo 5

La manada rodeó las empinadas montañas y los estrechos valles. Atravesaron profundas grietas y, por muy cautelosos que fueran en ese entorno cavernoso y arriesgado, la imagen de Tuska no faltaba en su memoria. Habían conocido una serenidad muy diferente a la de todos los demás lobos con los que ya se habían cruzado. Una loba marcada por su mirada y que, aunque casi ciega, fue capaz de despertar en algunos de esos lobos la existencia de una forma de mirar según la cual no importaba ver la buena visión de un lobo joven. Tuska dijo que no era necesario que un lobo envejeciera y perdiera la vista para darse cuenta de que había algo mucho más allá de todo ese ciclo de nacer, vivir y morir. Pero también creía que todo lobo ciego algún día notaría la existencia de una visión independiente en sus ojos. La vieja loba conocía muchos de los secretos escondidos en el corazón de un lobo, y le había enseñado a Kushi que este podría ser el punto débil de su especie, pero eso era exactamente lo que los convertía en animales increíbles.

Ahora Leksy se había convertido en el mayor de la manada, seguido por Dingo, por lo que se llevó consigo la responsabilidad de guiar el corazón de Kushi cuando estaba confundido y angustiado.

Caminaron durante mucho tiempo, tratando de comprender el significado de las últimas palabras de Tuska.

El Hombre se enfrenta al que conoce al Hombre de cerca, reverberando en la mente de los lobos, como un aullido que resuena a través del abismo.

Desearon que el encuentro con Kodiak y la pérdida de la querida loba marrón no hubiera sido en vano. Ni siquiera Dingo se sentía dispuesto a decir cosas sin pensar, como era su costumbre. Cuando el viejo lobo negro perdió a Luter, su hermano mayor, sintió que una parte de sí mismo murió. Desde entonces, ha vivido en madrigueras oscuras, donde pasó la mayor parte del tiempo durmiendo. Sin embargo, la muerte de Tuska significaba que podía ver su responsabilidad como el mayor de esa manada. Luego trató de afrontar la muerte de la vieja loba como una necesidad para superar sus ansiedades y ayudar a los lobos, ya que también eran su sangre.

—¿Cómo crees que el Monte de los Aullidos nos puede ayudar? —preguntó Kushi, asustada.

—Tuska siempre citaba el Monte de los Aullidos cada vez que se refería a los hombres —explicó Leksy.

No podía entender cómo un lugar así podía ofrecer una solución a este problema. Desde pequeña supo que el Monte de los Aullidos era un lugar donde los lobos iban a aullar y mostrarle al sol cuándo salir y cuándo irse. Nada más que eso.

—Allí podemos ver, en el horizonte, que las montañas forman un enorme lobo acostado —explicó Leksy—. El más grande de todos los lobos, el que vi cuando cazaba hace muchos años. Había otro lobo, mucho más pequeño, muy parecido al que yacía entre las montañas, como si fuera su cachorro. Este cachorro marca el lugar. Encontramos al cachorro de piedra donde vivían los hombres, Kushi. Hace mucho tiempo, pero vivían allí. Después de que se fueron, los lobos se apoderaron del lugar. Debe haber algún indicio de la debilidad del hombre. Tenemos que buscarlo. Por eso, cuando Tuska dijo: *El hombre se enfrenta al que conoce al hombre de cerca*, inmediatamente me vino a la mente el Monte de los Aullidos. Los hábitos de los hombres del pasado nos ayudarán a enfrentarnos a los hombres del presente. Lamento que Tuska haya tomado un camino tan débil, pero debemos honrarla.

—¿Qué pasa con este cachorro de piedra? ¿Cuánto tiempo has estado ahí? —quería saber Kushi.

—Más de lo que un lobo puede contar. Cuando los lobos se apoderaron del Monte de los Aullidos, ese cachorro ya estaba allí.

—Entonces, este cachorro de piedra también estuvo allí en el momento de los hombres —concluyó la líder.

—Probablemente sí —mira hacia arriba, como en armonía con sus antepasados—. Ese lobo de piedra tiene más respuestas de las que podemos imaginar.

—¡Entonces podemos preguntarle sobre nuestro destino! Si conoce el pasado de los lobos y los hombres, también debe conocer nuestro destino.

—¿Y cómo nos comunicamos con un lobo de piedra? —preguntó Ludo.

—Tendremos que averiguarlo —dijo Leksy.

—¿Y si ese cachorro ya no está? —preguntó Kushi, asustada.

—Él estará allí —dijo Dingo, quien recordaba bien su último paseo allí. —¿Has visto una piedra caminar?

El viejo lobo negro se acercó a Leksy, siguiendo toda la discusión.

—Dingo también lo vio. Estaba conmigo ese día —recordó Leksy.

Anik y Nipo volvieron a mirar a Dingo. Eran los más jóvenes de la manada y no habían conocido el lado vivo de ese lobo, especialmente el lado espiritual.

Kushi se estremeció con esa noticia alentadora, y la manada sintió que sus corazones se desbordaban de esperanza después de ese intenso sentimiento de pérdida.

Una llanura cubierta de piedras expuestas estaba cubierta de líquenes grises y blancos. Algunas cabras montesas se alimentaban de las hierbas que crecían en las grietas de las rocas esa noche. Kushi y la manada estaban tan concentrados que sintieron poca hambre, y esa poca hambre que tenían, la saciaron con huevos de ánades, encontrados en las rocas, y pequeños roedores que se aventuraban allí.

—¿Crees que el lobo de piedra se parece a nosotros? —Kushi se arriesgó a preguntarle a sus amigos.

—¡Ciertamente! —respondió Nipo, el de fuertes colmillos y pelaje gris—. Será gris y ... también debe tener dientes muy blancos.

—¿Gris? —contestó Ludo, el de pelo largo y negro—. Para mí, tendrá tantos pelos que nunca sentirá frío en la nieve. Debe tener un pelaje negro como el mío, porque será un buen cazador de noche.

—Creo que estás un poco lejos de la verdad —dijo Lohri, el gran lobo gris—. Sin duda será bastante grande. Al menos del tamaño de un oso pardo. Solo un lobo muy grande podría asustar a los hombres.

—¿Y si es pequeño? —preguntó Anik, la inteligente—. Puede que sea un lobo demasiado inteligente. No se necesita tanto si sabes cómo pensar.

Los lobos más grandes simplemente se rieron.

Capítulo 6

Las auroras boreales estaban presentes. Las luces de colores de la noche iban acompañadas de un ritmo espiritual de los vientos en lo alto de los pinos y de las brisas frías que corrían cerca de las orejas de los lobos. Nunca antes habían escuchado tal sonido.

Los espíritus de los lobos están aquí, pensó Kushi, notando que los demás no escuchaban de la misma manera que ella. Sin embargo, de vez en cuando miraban al cielo como si creyeran que, en el Monte de los Aullidos, los espíritus ancestrales siempre estaban presentes.

¿El lobo de piedra todavía está aquí?, La loba alfa se sintió un poco tonta mientras buscaba en esas montañas alguna señal de ese lobo. Entonces notó los coloridos movimientos de las auroras boreales, que dibujaban enormes animales en el cielo. *¿Es sólo mi imaginación?* Casi podría jurar que vio a un gran lobo

caminando en el brillo de las estrellas, sintiendo el mismo escalofrío cuando escuchó al Gran Aullido hablarle.

—Ahí —dijo Dingo, señalando con la punta de su hocico.

Dingo se colocó sobre una roca y, mirando al horizonte, guardó silencio. Los lobos corrieron, ansiosos por comprender qué estaba pasando. Kushi sintió que su corazón se llenaba de emoción cuando vio un conjunto de montañas formando una gran silueta en el horizonte, como la de un lobo acostado. Fueron las montañas donde los antepasados aullaron cuando aún estaban vivos. La nieve había preservado las ruinas donde vivieron los antepasados y donde los lobos fueron iniciados misteriosamente.

Emocionados, los lobos vieron al cachorro del gran lobo de montaña: de pie, contemplando el cielo nocturno. En su cabeza, había un extraño montón de nieve.

Ante ellos había un gran lobo hecho de piedra, tallado por un hombre cuando aún habitaba esas ruinas. La joven Anik se acercó y olfateó. Lohri se acercó y la examinó, desconcertada. Nipo llegó a creer que el cachorro del gran lobo se había congelado por el frío.

De repente, del montón de nieve que había sobre su cabeza, un gran par de alas se extendió, haciendo que los lobos saltaran hacia atrás, asustados. Una enorme águila dorada se extendía sobre la cabeza del lobo de piedra.

La manada contempló la increíble imagen de la robusta ave de rapiña con ojos amarillos como el fuego de los hombres. Ella miraba a los lobos, en silencio. Su grandeza parecía hacerle temer absolutamente a nada.

La ave tampoco era para conversaciones innecesarias. Inmediatamente trató de decir a qué vino:

—Sé de tu destino —dijo la enorme ave, en un susurro—. Lo vi, así como a algunas de mis hermanas, antes de que saliéramos volando del nido.

No era común que un lobo viera un águila dorada de cerca, a menos que quisieran devorarlos. Pero Kushi pronto comprendió que la ave los había estado siguiendo durante algún tiempo, ya que su grito reverberó a través de las montañas durante el viaje de los lobos. Ella no estaba allí para satisfacer su apetito.

—Te recuerdo —se arriesgó a decir Kushi.

Los ojos de la alfa estaban fijos en el águila por ver tanta fuerza en un animal que creía que era mucho más pequeño, incluso como para un lobo. Sin embargo, ella estaba equivocada. Un águila dorada era casi del tamaño de un lobo. Luego se dio cuenta de que ella no tenía un dedo en la pata.

Probablemente lo perdió en algún choque con un animal, pensó Kushi.

—Estaba durmiendo encima de un pino cuando tu manada se enteró del posible destino de los lobos. Me llené de compasión cuando vi tu aflicción. En el mismo momento, un chillido resonó desde el Oeste para mí, y así es como los antepasados de las águilas les hablan a sus hijas. En esa aurora boreal, vi un águila en la cabeza de un lobo, tal como estoy.

Al decir esto, los lobos que se alejaban se sentaron junto a la estatua. Una vez que entendieron, comenzaron a escuchar la historia.

—La existencia de un animal está íntimamente ligada a la de todos los demás, en una red de vida infinita —dijo el águila—. Cuando algo grandioso está por sucederle a una especie, la vida se encarga de unir a todos los ancestros en una sola misión. Entendí que mis alas podían buscar al lobo que buscan. Y este lobo está justo aquí.

Kushi miró al lobo de piedra. No podía creer cómo un animal sin vida podía ayudar en el destino de los lobos.

—Este lugar ha pertenecido a los hombres hace muchos años, cuando yo era solo un águila bebé aprendiendo a volar. Estaban aquí, siempre dispuestos a buscar la forma de sobrevivir a todo ese frío... hasta que una noche de invierno se llevó a su bebé a los antepasados de los hombres. Nunca regresaron aquí. En celebración y protección del joven que se fue, su familia esculpió una piedra de lobo. Este es el lobo que miras ahora. El lobo que fue hecho por manos humanas y para un humano.

—¿Por qué los hombres harían un lobo para un hombre muerto? —preguntó Ludo, perplejo.

—Los hombres creen en la fuerza del lobo como protección para su aldea —explicó el águila —y en ese momento, ofrecieron la protección del lobo de piedra al joven humano muerto. Ofrecieron un compañero guardián. Así, el lobo lo protege hasta hoy.

Al decir esto, el águila dorada miró al suelo y los lobos pronto comprendieron que el joven humano debió haber muerto allí mismo.

—Los hombres entierran a sus semejantes cuando mueren.

Los lobos olfatearon, buscando alguna señal de que hubiera un humano enterrado bajo la nieve. Sin embargo, no olían nada. Esa historia debe haber sido muy antigua.

—Por alguna razón, tus antepasados quieren que conozcas al Lobo del Mañana, precisamente el que será el resultado de la unión entre hombres y lobos. Estoy aquí para ayudarte. Las águilas pueden volar muy lejos. Y aquí, en este lobo artificial, podré encontrar ese Lobo del Mañana tan esencial.

Los lobos estaban ansiosos por lo que vendría. Había miedo y tristeza, pero también esperanza.

—Entonces ayúdanos, noble águila, por favor —suplicó Kushi.

—Recuerda —advirtió el águila— mirarlo te hará ver a todos los lobos: Verás el destino del lobo.

Capítulo 7

Un silencio contrasta con el sonido del viento. El águila luego levantó la cabeza en alto, abrió sus ojos amarillos y, cuando vio la aurora boreal, ululó durante mucho tiempo. Su eco atravesó los acantilados y las montañas. El majestuoso pájaro extendió sus enormes y colosales alas, jadeando, en un suspiro lento y tranquilo. En el suelo, había la sombra de un gran lobo con alas sobre su cabeza.

En el cielo, en la aurora boreal, los lobos pudieron ver la danza colorida de las luces fosforescentes trazando las imágenes de sus antepasados. Un discreto hilo brillante descendió del cielo, donde los antepasados se movían con las auroras boreales, y golpeó el suelo, iluminando la sombra del lobo de piedra, en una fosforescencia fantasmal. Apareció la silueta translúcida de dos lobos. Sus patas se materializaron hasta que la fosforescencia se borró por completo y solo quedó la sombra del lobo de piedra sobre esos lobos del destino.

—Entonces ayúdanos, noble águila, por favor —suplicó Kushi.

—Recuerda —advirtió el águila— mirarlo te hará ver a todos los lobos: Verás el destino del lobo.

Kushi ya no escuchó las voces de los lobos de su manada, que ya estaban encorvados sobre la nieve, con los ojos cerrados. Trató de encorvarse, creyendo que debería haberlo hecho antes que todos ellos. Sin embargo, alguna fuerza lo impidió. El viento frío en la punta de su hocico pareció tirar de él. Solo se dejó llevar cuando fue vencida por una fuerte emoción al ver los ojos de esos lobos del destino volteados hacia ella, bajo la sombra de la estatua y las alas del águila.

Kushi vio que un gran hocico gris le olía la nariz. Los ojos color ámbar la miraron con curiosidad. En lugar de orejas pequeñas y altas como las suyas, la loba alfa vio orejas largas y curvas. *Estas orejas largas deben oír mucho mejor que cualquier lobo*, pensó. En su pecho, su cabello grisáceo mezclado con castaño era corto. La loba pensó que probablemente era inmune al frío de esas montañas y era tan grande como el tamaño de un lobo.

Solo puedo estar ante el lobo del destino, pensó.

Kushi se levantó lentamente y vio que la manada estaba llena de expectativas. Los lobos olfatearon el aire y se acercaron curiosos. Vieron aparecer ante ellos otro lobo extraño, mucho más pequeño y todo negro, con un pelaje corto y brillante. Tenía un pequeño hocico parecido a una foca e innumerables pelos en el bigote: era una hembra, que parpadeaba bajo la sombra de la gran águila dorada. Mostró miedo y sumisión y, acurrucada en la nieve, se dio cuenta de que el entorno no se parecía en nada al de donde ella venía. Entonces todos escucharon el grito del águila reverberar a través de las montañas. Ella se fue.

—¿Dónde estoy? —preguntó el gran lobo del destino—. ¿Quiénes son ustedes?

Kushi sintió una explosión de alegría al imaginar que los antepasados habían enviado a dos lobos del destino para ayudarlos. Pero luego examinaron a la pequeña loba negra sumisa, que parecía un cachorro o una especie de zorro, quizá. Ese animal era muy diferente del gran lobo que había traído el águila dorada. Pensaron en cómo un animal tan pequeño podría salvar el destino de los lobos.

Los ojos de la pequeña loba miraron a todos con asombro. Ludo se había acercado lo suficiente para asegurarse de que el animal fuera descendiente de los lobos. Un animal mestizo, quizá porque había un rostro en el que los lobos podían ver a sus crías. Pero Ludo pronto negó con la cabeza, dándose cuenta de que sus colmillos eran demasiado pequeños para ser considerados un animal poderoso. En la naturaleza de los lobos, generalmente los más grandes y fuertes podían ser recordados por otros, ya que sus posibilidades de supervivencia eran casi seguras.

Los lobos olieron el aire nuevo y extraño. Había algo que molestaba a la manada. En el fondo, Kushi sabía bien lo que era, pero tenía miedo de decirlo. No quería creer que los ancestros estuvieran equivocados.

—¿Un cachorro? —preguntó Nipo.

—¡No soy un cachorro! —respondió la pequeña loba del destino, con un gruñido ahogado.

La manada pensó que era curioso que una loba como esa ya no fuera un cachorro. La miraron con recelo.

—Huelen extraño. ¿Huele así un antepasado? —Dingo se acercó aún más, curioso.

—No es posible que nos hayan enviado a esta pequeña loba —dijo Ludo.

—No juzgues por las apariencias —reprimió Kushi.

—¿Qué es este lugar? —interrumpió el gran lobo del destino, mientras levantaba la pata para analizar la nieve—. Nunca había visto un lugar como este ...

—Estás en las montañas —dijo Leksy, conmovida por ese encuentro—. ¿Como se llama?

—Nino. —dijo, mirando el paisaje—. Todo es tan extraño ... Estaba durmiendo y soñando cuando, de repente, vine aquí. ¿Es esto también un sueño?

—Yo también estaba soñando, pero esta vez, no soñé con perros persiguiéndome —dijo la pequeña loba del destino.

Lohri se había acercado un poco más.

—¿Per...? —preguntó Lohri.

—Perros —añadió Nino.

Entonces la pequeña loba del destino dijo, sin mirar a los ojos de los lobos, sospechoso:

—¿Qué sucedió? No te hice nada. ¿Qué quieres de mi? —susurró con un gruñido.

—No te haremos ningún daño —respondió Kushi, tratando de acercarse con cuidado para que la extraña loba mestiza se diera cuenta de que no necesitaba estar nerviosa. —Nos lo trajeron porque necesitamos ayuda. Y cómo se llama?

Pensó por un momento y dijo:

—Tengo varios nombres y ninguno al mismo tiempo —había tristeza en su voz.

—Serás presa fácil por aquí —dijo Ludo, mirándola.

—Estamos en la misma manada, Ludo, no lo olvides —intervino sabiamente la líder—. Protegemos quien es de la manada. Ludo inclinó la cabeza de mala gana.

—Pero vas a necesitar un nombre aquí, querida —se acercó Leksy con calma—. ¿Y cómo te gustaría que te llamaran?

—Podría ser Kriska —sugirió Anik, sonriendo.

—¿Kriska? —a la perrita parecía que no le gustaba—. Nunca escuché ese nombre en mi vida. ¡Qué nombre tan extraño!

Anik la miró, decepcionada. Los lobos tenían nombres así.

—Tu nombre tiene que ser algo muy grande —dijo Dingo de un salto—. Podría llamarla Sequoia. Ese es un bonito nombre ...

El perro bajó la cabeza.

—Prefiero seguir sin un nombre.

Nino dio un paso adelante:

—Felicia —dijo, moviendo la cola—. Te pareces a Felicia.

Un nombre como ese nunca se había escuchado en las montañas. Ciertamente era un nombre muy hermoso, y debía tener un significado que solo los perros entendieran.

La pequeña loba negra abrió mucho los ojos cuando escuchó ese nuevo nombre. Nunca nadie la había llamado así, y ella no entendía el significado de eso. Pero ha recibido muchos otros nombres, y sin sentido. Felicia sonaba feliz, y se preguntó si lo era. Luego sonrió en agradecimiento.

—Nuestros antepasados los trajeron aquí —explicó Kushi, imaginando que los lobos del destino conocían esa tradición de adoración.

—¿Antepasados? —repitió Nino, sin comprender—.¿Qué antepasados?

—Vaya, los que nos originaron —explicó Dingo. —¿No conoces la tradición? Si no fuera por los ancestros, no estaríamos todos aquí.

Y cuando dijo eso, olió las garras de Nino, y luego fue a olfatear a Felicia, quien pronto mostró sus dientes; el viejo lobo negro retrocedió tímidamente.

—¿Tu antepasado no te dio una buena educación?

Luego guardó silencio al recordar que él era el antepasado de los dos lobos del destino.

—Estos antepasados ... son tus dueños, ¿verdad? —preguntó Nino.

—¿Dueños? —los lobos se miraron asombrados—. ¿Qué son los dueños? —preguntó Kushi, tratando de entender.

—¿Tú no sabes? —se rió la pequeña Felicia—. Dueño es el nombre de quien cuida de nosotros, perros. O por lo menos debería cuidarnos a todos —agregó, con una mirada vacía.

Kushi vio la decepción en los ojos de los lobos. No podía negar que estaba empezando a pensar que los antepasados habían tomado una decisión equivocada.

—¿Quién necesitaría a un dueño si nosotros podemos cuidarnos? —preguntó Lohri—. Solo necesitamos de la manada.

—Y necesitamos un dueño —dijo Nino—. Quiero decir, ya tengo el mío. Ustedes son los que necesitan un dueño.

Kushi y los otros lobos se estremecieron. Los pelos de la espalda se erizaron cuando entendieron quién sería este dueño.

—¿Te cuidan ... los hombres? —preguntó la alfa, preocupada.

—¿Y a quién más le importaría? —preguntó Nino.

Felicia dio un paso atrás. Ella no era parte del cuidado del que hablaban. A pesar de tener muchos perros amigos que fueron adoptados, ella creía que le gustaba las calles.

Los lobos se miraron con miedo. Los antepasados habían puesto a los lobos del destino ante ellos, cuidados por humanos. Kushi tenía mucho miedo de pensar en lo que los ancestros querían decirles.

—Leksy —llamó la líder para que la acompañara.

La vieja loba blanca comprendió en esa mirada la preocupación de la alfa.

—¿Estás pensando lo mismo que yo? —preguntó Kushi.

—Por un momento, todos pensamos que los ancestros nos estaban advirtiendo de un futuro terrible —la mirada de la vieja loba era aprensiva—. Pero nos enviaron los lobos del destino.

—¿Crees que esto podría ser una señal de que los antepasados han cambiado de opinión?

—Los antepasados nunca cometen errores, Kushi. Creo que somos nosotros los que no entendemos su mensaje.

Kushi suspiró. Leksy había entendido lo mismo que ella.

Capítulo 8

Cuando los lobos estaban a punto de abandonar esa idea, Kushi caminó rápidamente a través de la manada, mirando a los ojos de cada lobo, para que todos dieran su opinión de la situación.

—Solo aquellos que viven con hombres realmente los conocen —dijo la loba alfa, preocupada por su manada.

—Sí —asintió Leksy—. Son los únicos que pueden ayudarnos.

—Pero no son lobos —dijo Ludo— y Felicia ni siquiera se parece mucho a un lobo.

Anik miró a Felicia y luego se acercó a Ludo:

—Veo un lobo cuando lo miro —y olisqueó el aire—. Mírate profundamente a los ojos.

—Ahora veo un cachorro de lobo —completó Lohri—. Y los cachorros necesitan a sus padres.

—Ahora ella es parte de la manada —recordó Kushi— y por lo tanto todos podemos proteger a un cachorro de la misma manera que nos protegemos unos a otros.

—No soy un cachorro —dijo Felicia.

En ese momento, Nino la miró y se dio cuenta de que estaba diciendo la verdad.

—Dime cómo llegué aquí. ¿Qué quieren tus antepasados de mí?

Cuando dijo eso, Felicia se levantó y se alejó de ellos.

—No puedes irte hasta que nos ayudes —dijo Kushi, suplicante. Luego llegó hasta Felicia y la miró.

—Los antepasados te enviaron porque les pedimos ayuda.

—¡Kushi tiene razón! Vimos el destino del lobo. Y no es bueno —explicó Leksy.

Nino miró a los lobos durante mucho tiempo. Luego se sentó:

—¿Por qué no? —Nino se acercó a Kushi—. ¿Qué pasará?

Los lobos se miraron y Ludo, el del largo abrigo negro, se adelantó y dijo:

—Los lobos estarán dominados por hombres. Y eso no podemos dejar que suceda.

—Vimos el sufrimiento de nuestros descendientes —explicó Kushi, con tristeza en sus ojos—. Vimos abandono, humillación, dependencia y muerte provocada por el hombre.

Los ojos de Nino parecieron perderse un rato en la nieve. Entonces finalmente dijo:

—Tú no estás equivocado. Los perros son abandonados por hombres todos los días. Estoy de acuerdo en que es muy triste saber que los perros sufren más que cualquier ser vivo en este mundo, porque el amor de un perro es puro. Estoy de acuerdo en que la responsabilidad de cualquier perro abandonado es de cada hombre que camina por la calle, o de cada hombre que duerme en su cama, porque fue su especie la que nos domesticó. Entonces, cualquier hombre es responsable de nosotros —Nino respiró hondo al visualizar, en su mente, algunos recuerdos.

—¿Domesticado? —dijo Ludo—. ¿Así que eso es lo que llamas un lobo dominado por hombres? —el lobo entrecerró los ojos, pues eso no le gustó nada—. ¿Qué hay de bueno depender de ... un dueño? ¿Qué ganamos con eso?

Dingo dejó escapar un pequeño gemido como el de un cachorro. Se sintió avergonzado cuando todos lo miraron.

—Conocemos los sentimientos de un lobo —dijo Leksy—. Es muy vulnerable que un ser vivo se entregue en el sentimiento.

Kushi sabía de qué estaba hablando la vieja loba blanca.

Esa rendición aún no era el punto débil de todos los lobos, pero, a medida que pasaba el tiempo, ese punto se volvería cada vez más frágil. Aquellos perros del destino eran mucho más susceptibles que ellos.

Felicia escuchó esa discusión sin decir nada. No sabía cómo era amar a un dueño, ni siquiera cómo era ser amado por un ser humano.

—Los hombres ciertamente no comprenden el amor de un perro por su dueño —explicó Nino—. Es amor incondicional. A menudo cometemos errores con ellos porque necesitamos su atención. Ocupan su día con el trabajo para traernos comida. No hay nada mejor que poder recibir la llegada de nuestro dueño y ser atendido con cariño.

—¿Y qué gana con eso? —preguntó Lohri, incrédula.

—Un perro puede proteger a su dueño, puede dar alegría en momentos de soledad. Son socios inseparables. Los dueños nos dan juguetes y galletas —dijo, moviendo la cola—. Así, también nos devuelven la atención.

Los lobos lo miraron, descontentos. No entendieron el significado de algunas palabras como juguete o galleta, pero se dieron cuenta de que podían ser una recompensa muy peligrosa que haría que un lobo del destino se apegara a ese ser al que llamaban dueño.

—Felicia —llamó Ludo, dándose cuenta de que la perra parecía muy confundida con toda esa historia—. ¿Qué piensas de los humanos?

Sintió que su corazón golpeaba con fuerza y su mirada se perdió en las montañas por unos momentos. Empezó a decir algo, pero luego pensó y miró a Ludo. Era la primera vez que miraba a los ojos de un lobo.

—Nunca tuve dueño, y cuando tuve la oportunidad de tenerlo, me abandonaron. Sé que los hombres son muy indecisos y no entienden lo que queremos —entonces miró a Kushi—. Pero he visto que a los hombres parecen gustarles mucho sus mascotas.

—¿Mascotas? —Nipo se sorprendió por esas palabras—. ¿Te llaman así?

—Cuando se adopta un animal, se considera así —explicó Nino— porque nuestra presencia contribuye a la alegría de un hogar.

—¿Entonces quieres decir que hay muchos de ustedes de donde vienen? —preguntó Nipo.

—Hay miles de perros esparcidos por todos lados —explicó Felicia—. He visto muchos abandonados por ahí.

Los lobos sintieron un escalofrío. El destino del lobo

parecía mucho más serio de lo que habían imaginado.

Luego dirigieron su atención a una peligrosa agitación que venía del bosque.

Capítulo 9

Oyeron un extraño aullido haciendo eco a través del bosque. Y luego uno más, seguido de otro, y otro. La manada estaba alarmada, porque su olor la había delatado. Nino y Felicia miraban asustados el bosque oscuro que estaba justo debajo de esa montaña.

—¡Corran! —gritó Kushi.

La líder gruñó, mirando lo que traía el gran bosque. Su manada corrió en la dirección opuesta al peligro, tratando de penetrar las rocas y la maleza del bosque, donde podrían estar lo más lejos posible de esa amenaza.

—¿Qué pasa?

Nino corrió al alcance de los lobos antes de que desaparecieran en el bosque.

—Fuimos descubiertos —dijo Lohri—. ¡¡La manada de hombres nos encontró!!

—¡Mi poderoso antepasado! —exclamó Dingo, desesperado.

El lobo del destino se estremeció al darse cuenta de que ese apodo, una Manada de Hombres, no podía significar nada bueno. Pero en ese lugar salvaje, una manada de hombres podría significar la muerte de un lobo o de cualquier animal que encuentren.

Felicia alcanzó a Nino, aterrorizada, corriendo en la dirección opuesta de donde provenían esos extraños aullidos. Siguieron las huellas de la manada, pero Kushi y sus amigos fueron demasiado rápidos. Por lo tanto, Nino y Felicia no pudieron unirse a ellos en el instante en que los vieron sortear las rocas debido al riesgo de escape que tendrían que hacer.

Los gritos humanos aterrorizaban a cualquier animal del bosque, más que a cualquier gruñido de oso. Felicia estaba aterrorizada al imaginar que, en esas montañas, los hombres eran enemigos de la manada de Kushi.

Nino nunca había escuchado algo tan aterrador. Su dueño ya le había gritado airadamente, pero los que venían a recibirlo ni siquiera eran amistosos, y gritaban mucho más ferozmente. El tenía miedo.

Finalmente, el grupo de hombres apareció entre los troncos de los árboles en el bosque, cubiertos de pelo de animales y junto a muchos lobos. Sus feroces gritos demostraron instigar la furia de esos animales. Pronto, los perros entendieron por qué la manada de Kushi le tenía tanto miedo a los hombres. Su imagen era aterradora: estaban cubiertos con pieles de otros lobos, lanzas y piedras en sus manos, y sus ojos estaban pintados con una tinta oscura que más parecía sangre.

Kushi estaba guiando a la manada hacia el otro lado de esa montaña, cuando fueron sorprendidos por una lanza que se cruzó en su camino. Los lobos que acompañaban a los hombres llegaron desde el otro lado, haciendo que Kushi cambiara de ruta una vez más.

Luego se sumergieron en el bosque, sin saber que los lobos del destino, no acostumbrados a la vida salvaje, se quedaron atrás.

Kushi atravesó una grieta en la montaña. No había suficiente espacio allí para que toda la manada se escondiera, así que siguió adelante con sus lobos; menos Dingo, quien, debido a la edad y la falta de habilidad en carreras largas, no pudo seguir el ritmo de los lobos más rápido.

—¡Oye!

Dingo miró hacia atrás, reconociendo ese ladrido. Vio que los perros también se quedaron atrás.

—¿Dónde están los otros?

Felicia estaba desesperada. Sabía que no podía alcanzarlos.

—Están por delante. También normalmente me quedo atrás en la caza. Mi hermano era muy bueno en esto. Y aún más con la edad, ¡las cosas solo empeoran!

Los tres oyeron que la Manada de Hombres se acercaba cada vez más. Dingo vio la grieta en las rocas.

—¡Rápido, allá, adentro!

Felicia entró fácilmente, deslizándose por las estrechas paredes de lo que parecía una guarida. Nino luchó por entrar, pero aún así logró quedarse allí, acurrucado. No había lugar para Dingo. El viejo lobo se puso de pie, mirando a los ojos de los dos lobos del destino. Entendió lo que tenía que hacer.

—¡Quédate ahí y no salgas por nada!

—¿Adónde va? —preguntó Nino, prefiriendo no creer lo que sabía que estaba a punto de suceder.

El viejo lobo se calló y los miró con tristeza. Y sin decir nada, se volvió y se alejó rápidamente de la grieta. Desde donde estaba, era posible ver la Manada de Hombres a unas pocas docenas de metros de distancia. Felicia y Nino escucharon los gruñidos de los lobos que acompañaban a los hombres y de Dingo, cada vez más distantes. De repente, a lo lejos, gruñidos y aullidos delataban una verdadera ejecución de lobo.

Capítulo 10

Los hombres dejaron de perseguir a Kushi y a sus hombres después de que la loba alfa usara el viento a su favor escondiendo a sus lobos en los arbustos, donde el campo abierto permitía que el olor del miedo de los lobos se disipara antes de que la Manada de Hombres los alcanzara.

—Parece que los hombres se llevaron a Nino y Felicia —dijo Lohri, preocupada—. No pudimos encontrar ningún rastro por aquí, y el viento ya tomó su olor.

—¿Los perdimos? —preguntó la loba alfa, sintiendo desesperación en su corazón—. ¿Dónde está Dingo? —completó Kushi, contando los lobos.

Olfatearon el aire en busca de ellos, pero no había ni rastro de los perros. Luego dieron la vuelta al camino de regreso. A lo lejos, encontraron una mancha negra. El cuerpo de Kushi se estremeció cuando se dio cuenta de que el viejo Dingo estaba tendido en la nieve.

—¡Dingo!

La líder lo llamó desesperadamente, corriendo a su encuentro. Olió y lamió la mancha empapada de sangre en su pelaje negro. Vio que el lobo respiraba y lo miró jadeando. Tenía una gran herida en la garganta. Estaba tratando de decirle algo:

—Kushi... —tosió sangre—. El viaje ... continúa el ... viaje —volvió a toser.

Los cabellos negros y enredados de su cuello estaban manchados con un líquido oscuro.

—Honor Luter ...

—¡Dingo! ¡Espera, Dingo!

—... salva ... a los lobos del destino ...

Cayó la cabeza; el viejo lobo cerró los ojos, exhausto, y lanzó un gran suspiro ronco. La nieve se puso roja.

Kushi agachó la cabeza y se alejó.

Leksy tocó la frente de Dingo con su hocico y, en silencio, pensó en sus antepasados. Recordó a Tuska y, por un momento, tuvo la impresión de verla al lado de Dingo. Un pequeño copo de nieve que quedó atrapado en el pelo del viejo lobo negro voló con una ráfaga de viento, flotando majestuosamente a través de las montañas. La vida del lobo se ha ido con el copo de nieve.

Los lobos permanecieron en silencio durante algún tiempo, pensando en lo que había que hacer. No pudieron entender por qué los hombres no se habían llevado al lobo después del enfrentamiento, como era común en la caza. Entonces, entendieron que era posible que regresaran al día siguiente para recogerlo.

En sus ojos, era posible ver cuánto sentían la pérdida de Dingo. Ahora estaban alentados y decididos a hacer el viaje más largo de sus vidas por el bien de los lobos. Un viaje que los conduciría a un enfrentamiento con hombres y otros lobos, si fuera necesario. Necesitaban acabar con la domesticación y nada los cambiaría de opinión.

Capítulo 11

—¿Podemos irnos ahora? —preguntó Felicia—. ¿Alguna señal de peligro?

Nino salió por la grieta, oliendo el aire con miedo.

—¿Sobrevivió ese lobo negro?

—No tengo ninguna esperanza de eso, Felicia. Escuchaste esos aullidos y gruñidos.

—¡Nos salvó! —ella dijo.

Nino miró a su alrededor, dándose cuenta de que estaban solos en ese mundo peligroso y desconocido. El perro buscó un olor fuerte y extraño que llevaba el viento. Felicia sintió un escalofrío en el estómago y se estremeció al reconocer que el olor era común en las calles.

—Huelo sangre —dijo, olfateando el suelo y caminando apresuradamente.

—¿Sangre? —Nino no estaba acostumbrado a esa situación.

Había olido sangre solo una vez, cuando fue al veterinario y vio a un perro herido después de una pelea. Después de unos minutos de caminar, sus ojos encontraron una mancha negra en la nieve. Corrieron hacia esa imagen y pronto reconocieron al viejo lobo sin vida.

—¿Quién hizo eso? ¿Los hombres? —preguntó Felicia, llorando.

Nino miró hacia abajo con tristeza. Luego lloró, desconcertado.

—No fueron solo los hombres. Los lobos que están con ellos también hicieron esto.

Se dio cuenta de lo fríos que podían ser los hombres. El antepasado de los humanos daba miedo.

Nino miró a Felicia con tristeza, como si buscara más respuestas. No tenía sentido para él, ya que sabía que los humanos se comportaban mal, pero eso era demasiado triste para soportarlo.

—¡Quiero volver! —dijo Nino amargamente—. ¡Quiero volver con mi dueño!

—¿Cómo? Necesitamos a los lobos.

Felicia observó y olfateó el aire con desesperación, buscando las huellas de la manada.

—Ellos saben cómo llegamos a este mundo, por lo que deben saber qué camino tomaremos para irnos.

Nino miró la sangre en la nieve y sintió ganas de huir.

—Quizás deberíamos ayudar a los lobos —concluyó—. Acabar con la domesticación. También fui abandonado cuando era un cachorro antes de ser encontrado por mi dueño.

—Pero, si evitamos la domesticación, es posible que no vuelvas a ver a tu dueño —respondió Felicia— y también se me ocurrió lo siguiente: ¡ni siquiera naceremos!

Desesperados, los dos perros se tumbaron junto al cuerpo de Dingo, temblando por el frío de las montañas.

🐾 🐾 🐾 🐾
🐾 🐾 🐾 🐾

Un suave paseo tocó la nieve no lejos de allí. Había un olor diferente a todo lo que habían probado jamás, un olor salvaje como el de pino. Un animal grande se acercó casi sin hacer ruido. Su respiración era larga y suave como la niebla cuando toca las orejas de un lobo. Nino y Felicia se agacharon en la nieve, preocupados por lo que les pasaría. Entonces apareció tranquilamente un gran animal marrón con largos cuernos redondeados.

—No debes tener miedo —dijo el majestuoso animal, mirando con tristeza al lobo muerto en la nieve—. El miedo se fue con los lobos de los hombres.

Nino y Felicia abrieron mucho los ojos al escuchar la llamativa voz de ese gran animal. Hablaba en voz baja y, al mismo tiempo, era tan fuerte que incluso se preguntaban si era un ángel del bosque.

—¿Qué animal eres? —Nino miró con asombro a la criatura, que era del tamaño de siete lobos juntos.

La criatura se acercó y miró a los perros a los ojos.

—Soy un alce. Mis antepasados me enviaron para protegerlos.

—Por eso se fueron los lobos asesinos, ¿no? —se dio cuenta Felicia, viendo todo ese tamaño—. Te enfrentaste a algunos de ellos y a los hombres malos, ¿es eso?

El gran animal cerró los ojos y bajó la cabeza, consintiendo. Los perros se dieron cuenta de que el animal tenía una extraña ligereza sobre la nieve, a pesar de su tamaño. Nino pudo ver algunas heridas en el alce, pero, a juzgar por su tamaño y fuerza, era posible suponer que los lobos de los hombres se llevaban lo peor.

—Agradecemos la ayuda, pero entendemos poco desde que llegamos aquí.

—El mayor peligro para ti es una familia de lobos que camina junto a los hombres para lo que están entrenados. Se utilizan para matar a otros lobos, e incluso a otros hombres que no son de su tribu.

Y eso era lo que más temía la familia de Kushi, ya que su propia especie los amenazaba.

—¿Qué debemos hacer? —preguntó Nino. — ¿Debemos prevenir la domesticación? Vimos el peligro que amenaza a los lobos.

El alce se acercó y suspiró largo rato. Los perros sintieron que el frío se iba. —Debes seguir el flujo natural de la vida. Los hombres necesitan lobos, por eso los tienen. Es como una relación de intercambio que puede beneficiar a ambos.

Nino de repente se puso de pie y miró al cielo.

—Eres un animal de gran sabiduría.

—La naturaleza dentro de nosotros puede responder a muchas preguntas. Ya tienes la respuesta, ¿no? —el alce miró un punto en la nieve. Allí estaban las huellas de la manada. Nino y Felicia sabían lo que debían hacer: el corazón de un perro nunca se equivoca.

Desde lo alto de una secuoya, el águila dorada los observó. Luego, voló.

Capítulo 12

—Los hombres están durmiendo —dijo Nipo—. Veo una buena oportunidad para un ataque.

La manada de Kushi miró al pueblo de hombres. El silencio de la tarde fue tan silencioso y reflexivo que incluso los lobos pensaron en la acción que tomarían.

—Necesitamos proteger a la especie —dijo Lohri—. Recuerda eso. Recordemos a Tuska y Dingo. Murieron para que pudiéramos llegar aquí.

—Que todos los recordemos —dijo Ludo—. ¡Los hombres y sus malditos lobos traidores mataron a Dingo y, por alguna razón, se retiraron antes de que nos mataran a todos!

El viento soplaba con fuerza. Kushi observó el humo de una fogata apagada alrededor del pueblo. El olor de los hombres llenó su nariz.

La manada estaba silenciosa y triste. Dingo fue asesinado por otros de su propia especie, y eso era lo que más temían los lobos. Los hombres estaban influyendo en las actitudes y elecciones de los lobos.

—Huelo a los que mataron a Dingo —Kushi miró hacia abajo, examinando el pueblo con detenimiento—. Están por aquí, no muy lejos.

—Nino y Felicia pueden estar con ellos —dijo Anik—. Tengo miedo de lo que les pueda pasar. Son demasiado indefensos para vivir en este mundo.

—¿Y cómo podría un animal indefenso ayudarnos a combatir el control de los hombres sobre los lobos? —preguntó Ludo—. No creo que puedan ayudarnos.

Por unos momentos, Kushi se preguntó si debería invadir esa aldea de hombres. No tenía ni idea de cómo los lobos podrían enfrentarlos.

—No estoy segura de que Nino y Felicia estén ahí con ellos —dijo la loba alfa—. Ojalá lo estuvieran, porque tengo esperanza en ellos.

—Yo también, Kushi —asintió Leksy, con una mirada preocupada.

—¿Alguna vez pensaste que tendríamos que convencer a los lobos asesinos de que el hombre es un camino peligroso hacia el destino de los lobos? —el tono de Nipo era desesperado—. ¿Esperas convencer a un lobo asesino de que no te dejes domar por el hombre?

¿Cuál es el destino correcto para el lobo?, pensó Kushi, alejándose de la manada. Necesitaba pensar. Cerró los ojos, tratando de sentir la verdad. *Ancestros, enséñame qué hacer.*

Luego escuchó un ruido procedente de la copa de un pino. Cuando abrió los ojos, vio al águila dorada mirándola.

Capítulo 13

Desde lo alto del pino, Kushi vio al águila dorada tomar vuelo y aterrizar en la nieve. Era casi tan alta como el lobo.

—No quieres hacer eso, ¿verdad? —preguntó el pájaro con ojos de fuego—. En el fondo, ninguno de esos lobos quiere hacerlo. Puedo verlo.

—Las águilas son animales que pueden ver desde lejos —se acercó Kushi y se sentó frente al pájaro—. ¿Qué ves entre los hombres y lobos de esa aldea?

Ella soltó un pitido y volvió la cabeza para mirar el campamento de hombres. En ese momento, todos estaban dormidos. Hubo un gran silencio al aire libre. Solo se podía escuchar la ráfaga de viento, que esparcía las cenizas de los fuegos. El águila permaneció en silencio por unos momentos. Entonces, sus ojos brillantes se volvieron hacia la líder de la manada.

—El Alce Protector dijo una vez que nunca debemos ir contra el flujo natural de las cosas. ¿Y cuál es el fluir natural de la vida?

El pájaro extendió sus alas y miró directamente a los ojos de Kushi. La sombra de las alas hizo recordar a la loba el encuentro místico con los lobos del destino.

—¿Y por qué los lobos quieren estar con los hombres? ¿Alguna vez te has parado a pensar que Nino y Felicia nunca podrían existir?

—Perros... Quizás los antepasados los enviaron para mostrarnos que los lobos deben acercarse a los hombres —concluyó Kushi—. Los lobos del destino serían los únicos que verdaderamente podrían confirmar a los lobos el resultado de esta unión. ¿Fue esa la respuesta?

—Vienen tus descendientes para acá —se inclinó el águila, lista para volar—. Y no olvides que no conocen todos los peligros de este bosque.

Al decir su verdad, tomó impulso y voló. Los ojos de Kushi se agrandaron. *¿Qué hice?*, pensó, cuando se dio cuenta de que los había abandonado. Entonces se dio cuenta de que los hombres no habían capturado a los lobos del destino, y eso fue un alivio para ella.

En ese momento, la loba se dio cuenta de que su manada

anhelaba ese enfrentamiento. Y, antes de que Kushi lograra regresar con sus lobos, vieron una oportunidad para atacar y la aprovecharon.

No me esperaron, pensó la loba alfa, asombrada por esa actitud irreflexiva. Pero entendió la desesperación de su familia.

Corrió para tratar de alcanzarlos antes de que llegaran al pueblo. Usó un atajo, donde el camino a través de las rocas era más difícil, pero más corto, ya que la nieve enlentecía sus movimientos.

—Ancestros, ayúdenme... —habló en voz baja, dándose cuenta de que el acantilado por el que pasaba era más empinado y peligroso de lo que imaginaba. Las piedras eran débiles y quebradizas, resultado de un derretimiento en la primavera y la intemperie. Entonces se dio cuenta de que había elegido el camino equivocado, pero no había vuelta atrás o caería con su peso. El viento era fuerte y traicionero.

Kushi escuchó pequeñas rocas deslizarse hacia ella. Luego resbaló. Tratando de estabilizar sus patas en ese terreno incierto, cayó por el acantilado y su grito resonó en el horizonte. Un dolor intenso le golpeó la pata trasera y las costillas. Todo se apagó por un instante. Cuando se dio cuenta de que ya no podía moverse, su visión estaba completamente borrosa.

Capítulo 14

Los lobos pudieron escuchar un fuerte aullido en el horizonte.

—¿Kushi? —susurró Anik—. ¡Es Kushi, estoy seguro!

—Ella nos necesita —dijo Nipo, dándose cuenta de que la idea de que Ludo tomara la iniciativa había sido un error.

—Rápido —dijo Lohri, dejando el sendero del pueblo y regresando por el camino que tomaron en la montaña—. Nunca debimos haberla dejado.

Los lobos bordearon el sendero, olfateando el aire en busca de Kushi. Pero no había ni rastro de la loba alfa. El viento estaba confuso. Su olor se mezclaba con la vegetación y el aroma de las brasas de los fuegos.

—Encontré su rastro —dijo Lohri rápidamente.

Leksy vio las huellas y las olió. Sin embargo, se dio cuenta de que su sentido del olfato ya no era el mejor.

—Si Dingo estuviera aquí... —pensó la vieja loba blanca.

Ludo, Nipo y Anik olfatearon el rastro que Kushi había tomado, y luego entendieron que ella no había elegido seguir el mismo camino que ellos.

—Ella bajó por el lado más duro —dijo Anik, sintiéndose mal del estómago.

Ludo caminó rápidamente, buscando más huellas. Se encontró con un descenso muy empinado, donde se concentraba el olor de Kushi.

—Ella bajó aquí —dijo el lobo negro—. Puedes ver sus huellas en este rápido descenso.

—¡Un descenso rápido! —interrumpió Anik—. Eso es exactamente lo que ella quería. Ésa era la única forma de llegar a nosotros antes de llegar al pueblo.

Ludo bajó la cabeza y se quedó pensativo. Había sido idea suya tomar la iniciativa de la manada.

—Kushi se cayó —dijo Leksy con pesar.

En ese momento, Ludo corrió por el camino menos peligroso. Bajó por las rocas de la montaña, esquivando los arbustos que crecían frente al desfiladero. Y pronto llegó al lugar donde había caído Kushi.

—¡Ella no está aquí! Estaba desesperado por encontrarla. El alivio se apoderó de él de inmediato cuando vio que ella no estaba muerta, a pesar de oler sangre. Entonces sus ojos se posaron en algo que lo devastó profundamente.

—¿Qué pasa? —preguntó Lohri.

Ya había llegado a Ludo cuando vio que Kushi no estaba acostada donde esperaban. Pero pronto comprendió la expresión del lobo negro. Había otro rastro, mucho más grande de lo que podría hacer un lobo. Un olor peligroso marcaba el sentido del olfato de los lobos.

—Se la llevaron —dijo Ludo con pesar—. Los hombres se la llevaron.

Capítulo 15

Kushi sintió una punzada de dolor y luego notó que el mundo pasaba rápidamente debajo de ella. Trató de abrir los ojos, pero no parecía tener fuerzas. Cuando logró dejar pasar la luz del día y llenar sus ojos, vio una mancha de árboles pasar por encima. Sintió otra punzada de dolor, mucho más intensa.

¡No puede estar pasando, por favor, no!, pensó aterrorizada al ver que yacía sobre un pedazo de cuero y la arrastraban por el suelo. Pero su visión se oscureció por completo y luego no recordó nada más.

Se despertó acurrucada en un rincón oscuro, pero el viento no era frío. Trató de moverse y un dolor punzante la golpeó. Lloró suavemente. Vio una tela envuelta de su pata trasera. Miró a su alrededor con miedo cuando se dio cuenta de que estaba dentro de una extraña guarida. Había trozos de cuero levantados por postes de madera que se mecían con el viento. Se estremeció retraída, preguntándose si estaba soñando o si había muerto. Le tomó algún tiempo comprender que los hombres la habían capturado.

Su cuello estaba sujeto a una correa de cuero que reconoció como de buey almizclero, atada a una estaca en el suelo. Escuchó sonidos extraños, una conversación entre hombres, pero era imposible de entender. Un olor muy fuerte a comida humana llenó sus fosas nasales. Ya había olido ese olor de nuevo, cuando su manada cruzó con ese pueblo hace mucho tiempo.

Trató de levantarse de nuevo. Sintió tanto dolor que gritó muy fuerte. Entonces escuchó el sonido de pasos acercándose a esa guarida oscura. Fue entonces cuando vio la pequeña mano de un hombre sostener el cuero de la tienda y mirar dentro.

Es sólo un cachorro humano, pensó el lobo, encogiéndose y despeinando el pelo de su espalda.

El niño se acercó con curiosidad, notando la mirada

asustada del animal, que parpadeaba en la sombra. El cachorro humano levantó un trozo de cuero lanudo y cubrió al lobo, que no atrevió a moverse con tanto dolor y sumisión. Kushi quería escapar, pero en esa condición, eso no era práctico.

Un adulto lo siguió y nunca apartó la mirada de la loba. El padre del cachorro vino con un hueso ahuecado, algo muy parecido a un hueso de la cadera que debe haber pertenecido a algún caribú. Kushi se quedó inmóvil, luciendo acorralada y gruñendo bajo. Entonces se dio cuenta de que, en ese hueso, le estaban sirviendo trozos de carne fresca.

El hombre dejó la comida al alcance de Kushi, quien no tuvo el valor de moverse. No entendía el lenguaje de los hombres, pero se dio cuenta de que el cachorro estaba reprimido por su padre para que no se acercara demasiado de ella.

Kushi respiró con fuerza, deseando que esos humanos se fueran y la dejaran en paz. En ningún momento tuvo ganas de oler la comida. Se quedó callada, dándose cuenta de que el frío exterior no entraba en la tienda. Su cuerpo estaba caliente. Luego se quedó dormida sin darse cuenta.

Se despertó sobresaltada. El padre y su cachorro todavía estaban allí con ella, mirándola en silencio. Nunca había visto tan cerca a los hombres. Sus ojos eran tan vívidos como los ojos de un lobo. Quizás eso era lo que fascinaba a los humanos, hasta el punto de querer estar cerca de estas criaturas.

Trató de levantarse de nuevo, porque si sus fuerzas se lo permitían, huiría de un tiro y correría hacia el bosque. Pero el dolor agudo estuvo ahí todo el tiempo. La loba llegó a creer que nunca más podría caminar. Sin embargo, si sobrevivía por un tiempo y su dolor se aliviaba, seguramente se iría. Pero no ese día.

Quizás la manada se enfrente a los hombres, pensó, pero no tenía ninguna esperanza de que tuvieran éxito y que ni siquiera pisarían territorio humano. Los lobos nunca abandonaron su viaje de supervivencia para rescatar a otro lobo. Pero su viaje fue allí mismo, en ese pueblo.

Tenía hambre. No estaba segura si debía comer esa comida porque podría ser venenosa. Luego esperó algún tiempo; sin embargo, el frío y la debilidad empezaron a hacer que su hambre fuera casi insoportable. Estiró el cuello y olió el recipiente de huesos con la comida. Se parecía mucho a la carne de caribú que siempre comía.

Se ve bien, pensó, estirando la lengua para obtener la

carne. Con un poco de esfuerzo, tomó la comida y la devoró. Vio al hombre salir de la tienda, pero el niño se quedó allí, inmóvil, mirándola, fascinado por su belleza.

Kushi escuchó algunas voces, pero ninguna era como voces de lobos. Ella asomó las orejas, esperando que su manada estuviera en camino.

Capítulo 16

—¡Debemos rescatarla ahora mismo! —dijo Ludo, sintiéndose culpable por lo sucedido.

—Pero debemos pensar en proteger la manada —recordó Nipo—. No podemos correr riesgos por culpa de un lobo. Así nos enseñaron los antepasados. —Nipo era uno de los lobos más centrados de la manada. Fue uno de los seguidores más fieles de las enseñanzas de los antepasados.

—Estoy cansado de tener que seguir lo que nos determinan los antepasados —Ludo se exaltó un momento—. ¡Necesitamos vivir por nosotros mismos! Los antepasados ya ni siquiera están entre nosotros.

—No es justo que hables así de nuestros antepasados —intervino Lohri, incomodada—. Somos meros lobos que caminamos por la nieve en busca de supervivencia. Es por las enseñanzas de los antepasados que existimos.

—¡Los antepasados no están aquí! —gruñó Ludo, alborotando el cabello de su espalda y acercándose a Lohri con arrogancia.

—¡Están con nosotros todo el tiempo! —dijo Nipo, en el mismo tono que Ludo. —Nuestra fuerza existe por todos ellos.

Ludo miró a Lohri en el fondo de sus ojos y la desafió en su tamaño. La loba no se dejó intimidar, ya que era un poco más grande que él. Otro lobo no la golpeaba tan fácilmente.

—Nipo tiene razón —asintió Lohri—. No podemos arriesgarnos a perder más lobos. No habrá destino si todos morimos.

—E incluso entonces, no hay otra forma —intervino Ludo—. El ataque a la aldea de los hombres se llevará a cabo de todos modos.

Al decir esto, Ludo saltó sobre el cuello de la gran loba. Pero antes de que lograra agarrar su cuello con sus colmillos, Lohri chocó sus dientes con los de él y, en el momento en que el lobo macho logró agarrarla por el cuello, giró su cuerpo con fuerza y le devolvió la mordida en el cuello del lobo negro. La manada vio que la nieve estaba salpicada de rojo cuando Ludo simplemente aflojó la fuerza de sus colmillos y Lohri lo dejó retroceder.

El lobo negro se acobardó con los otros lobos, mientras

Lohri se mantenía erguida y altiva. Ludo ya no ofendería a sus ancestros. En ese momento, mirando a su alrededor, Lohri se dio cuenta de que estaba frente a su manada. Todos los lobos la miraron con orgullo. Era común que los lobos disputaran el liderazgo. Los mantuvo vivos y fuertes para sobrevivir en las montañas. Así que los antepasados les habían enseñado hace muchos años. Por lo tanto, la gran loba era la nueva loba alfa de esa familia.

Se oyeron pasos suaves sobre la colina cubierta de nieve. Todavía no eran iguales a los pasos de los hombres. Un olor familiar llamó la atención de todos. Los lobos se levantaron el pelo de la espalda y se mantuvieron alerta. Entonces, vieron acercarse figuras familiares. Sus corazones se agitaron cuando se dieron cuenta de que llegaban Nino y Felicia. Por un momento, podrían haber jurado haber visto un gran ciervo acercándose a ellos, pero luego desapareció sigilosamente por el bosque.

—¡Están vivos! —exclamó Lohri, aliviada.

—¿Qué les pasó? —preguntó Nipo acercándose. Estaba feliz de recordar que la fuerza de los antepasados estaba allí con los lobos del destino.

Los perros jadearon, cansados de esa carrera.

—Nos hemos escondido de la manada de hombres con la ayuda del viejo lobo negro —explicó Nino—. Cuando nos aventuramos a salir de nuestro escondite, un poco más adelante, pudimos verlo tirado en la nieve, muerto —bajó la cabeza—. Se arriesgó por nosotros.

En ese momento, los lobos compartieron una mirada triste.

—Por favor —preguntó Nino casi en tono suplicante— ¿no se puede elegir por los hombres? ¡Y no pueden elegir por todos los lobos!

—Queremos tener un dueño —dijo Felicia, mirándolos a los ojos—. Si evitamos que los hombres tengan un destino con los lobos, Nino nunca tendrá a nadie a quien regresar y nunca tendré la oportunidad de encontrar a alguien que pueda cuidarme. Y peor: ¡ni siquiera naceremos!

Todos guardaron silencio por un momento, tratando de entender el significado de esas palabras.

—Kushi fue secuestrada por los hombres —dijo Ludo, aún retraído— y creo que ya sabes qué hacer, ¿no? —habló con ironía.

Nino y Felicia se miraron sorprendidos.

—Iré allí —dijo el perrito, y se dio cuenta de que Nino la miraba con miedo.

—Esto es demasiado peligroso —se preocupó Leksy.

—Iremos allí —repitió Nino, animado—. Puedes esperar aquí.

—¿Por qué cree que puede hacer algo por nosotros?

Lohri, a pesar de la ira que sentía por los hombres por perder a sus crías, estaba interesada en escuchar la idea de los perros.

—Conozcamos a esa gente —explicó Felicia.

Los lobos miraron a los perros, incrédulos por la elección.

—¿Qué crees que están haciendo? —preguntó Lohri. La nueva loba alfa se acercó con algo de compasión. Sabía que los lobos del destino eran tan ingenuos como un cachorro de lobo—. Capturaron a Kushi.

—Primero, necesitas conocer al lobo para ver si puedes confiar en él. Y el lobo necesita conocer a un hombre para saber si le gustan los lobos —dijo Nino—. ¡Vamos allí ahora mismo! Kushi no puede contar con la suerte.

Lohri intervino, preocupada, tocando con su enorme hocico la frente de Nino.

—Puedes darnos mucho trabajo.

—Estamos más acostumbrados a tratar con hombres que con lobos —respondió con convicción.

La gran loba alfa miró a los dos animales más valientes que jamás había conocido. Estaban dispuestos a enfrentarse a los hombres. Luego se hizo a un lado, dejando que los dos perros caminaran hacia el pueblo.

Lohri caminó y miró desde lo alto de las rocas.

—Es hora de descubrir qué pueden hacer los lobos del destino con los hombres —dijo la líder.

Capítulo 17

Nino y Felicia caminaron con cuidado por el desfiladero rocoso. Sus corazones palpitaban con miedo y ansiedad de igual manera; no sabían qué esperar del antepasado de los humanos. Parecían criaturas hostiles. Pero Nino conocía a su dueño. Sabía que no era como esos hombres que dirigían esa manada que le había quitado la vida a Dingo. Felicia miró al pueblo creyendo que se iba a encontrar con hombres no tan diferentes a los que conocía en las calles. Estaba acostumbrada a ser expulsada de los lugares que visitaba y a menudo recibía amenazas y patadas. Pero ella ya no era un cachorro. Conocía las formas de un hombre que intenta dominar todas las situaciones. Tenía menos miedo que Nino.

El movimiento del pueblo era pequeño, porque comenzaba en la mañana de otro día. Los perros sabían que la mayoría de los humanos tenían hábitos diurnos, aunque Felicia había conocido a muchos vagabundos con hábitos nocturnos.

Oyeron un silbido. Nino sintió que su corazón palpitaba de manera diferente: tenía miedo de los hombres. Felicia miró, sorprendida. Inmediatamente, se agachó para mostrar que no estaba interesada en meterse en problemas. Nino repitió ese gesto.

Entre ellos habían dos hombres y dos jóvenes. Se acercaron curiosos. Entonces, aparecieron dos hembras entre ellos. Se dijeron palabras incomprensibles. Nino estaba acostumbrado a comprender solo a su dueño y a las personas que lo rodeaban, en su mundo. Felicia solo entendió, por la fuerza de las voces de esa gente, que había miedo.

—¿Qué debemos hacer? —preguntó Felicia.

El perrito temblaba sobre sus patas. Entonces, vieron que varios otros hombres aparecieron ante ellos. Pronto la atención se centró en los perros.

—Se parecen mucho a las personas de donde venimos. Mira que no se visten como los que vimos justo antes de que mataran al viejo lobo.

—Pero son la manada de hombres —recordó el perrito de pelo negro—. ¿Dónde están los lobos asesinos?

Nino olfateó el aire y se dio cuenta de que esta no era la tribu de hombres bárbaros. Parecía ser otra familia humana.

—No tienen lobos —respondió simplemente. Pronto surgió una idea—. Haz exactamente como yo.

Los humanos se acercaron un poco más. Los perros vieron que tenían piedras y palos en la mano.

—Mira eso —dijo el gran perro gris, moviendo la cola y luego acostado de espaldas.

Felicia lo miró avergonzada. No estaba acostumbrada a ser dócil con los extraños, dada su naturaleza mestiza. La pequeña loba del destino se acostó en el suelo, exponiendo la parte más sensible de su cuerpo, entregada como Nino.

Los humanos bajaron sus armas al ver esa extraña actitud de dos interesantes figuras que se parecían poco a los lobos que veían en el bosque. La gente nunca había visto a ningún animal en el bosque sometido a esa condición tan vulnerable a los depredadores.

Nino quiere ganarse su confianza , pensó de inmediato.

Inevitablemente, la gente del pueblo sonrió ante esa escena inusual. Los extraños lobos no estaban allí para amenazar. No tardaron en darse cuenta de que su cabello era mucho más suave y brillante que el cabello de los lobos que solían ver en los bosques. Además, nunca habían visto lobos con hábitos diurnos.

La gente notó, en esos animales, el aspecto similar al de los niños. Un hombre que había sido más valiente se arriesgó, acercándose un poco más.

Nino vio esa mirada de miedo en el extraño, cuando se dio cuenta de que se acercaba con una lanza en la mano. Felicia estaba aterrorizada.

−No te muevas −dijo el gran lobo del destino.

Felicia cerró los ojos cuando vio que el hombre parecía avanzar contra ella con la mano. La tocó rápidamente y, por un momento, retiró la mano, asustado, temiendo que le pasara algo. Tomó otra oportunidad. Tomó su mano de nuevo, como si Felicia pudiera quemarle los dedos. Luego, con los ojos cerrados, sintió la mano del humano tocar su vientre y acariciarlo durante unos segundos, que parecieron durar horas. Oyeron risas y exclamaciones que hicieron que Nino entendiera que los humanos confiaban en la pareja canina.

Otra persona se acercó, ansiosa por tocar al perro grande. No parecía creer que un animal de ese tamaño fuera tan manso como una ardilla bebé. Cuando ella lo acariciaba, todos podían escuchar las risas de niños y mujeres. No había duda de que las personas de esa aldea reconocían que los extraños lobos eran muy especiales. Nino se dio cuenta de lo bien que se sentía entre los hombres. Ese lugar era mucho mejor que vivir escondido en el bosque, como hacían los lobos. Felicia no recordaba la última vez que había sido el centro de atención, excepto cuando fue expulsada de los barrotes a su alrededor, hambrienta. Pero, en el fondo, reconocieron que existía una inexplicable necesidad de vivir entre hombres.

Más gente de ese pueblo se estaba despertando y acercándose para ver ese regalo que había llegado con la mañana. El sol había traído a los hombres entusiasmo y una sonrisa. Nino se puso de pie y luego la gente se alejó asustada. Pero pronto meneó la cola y su cuerpo se movió junto con gracia. Las mujeres arrojaron trozos de carne de algún animal. Pronto quedó claro que los humanos querían mucho agradar a los visitantes. Desde lo alto de las rocas, Lohri y su manada observaron toda esa actitud valiente. Se miraron dudosos y asustados, notando que había algo muy extraño que vinculaba a los hombres con los lobos del destino.

—Se están ganando la confianza de los hombres —dijo Anik esperanzada.

🐾 🐾 🐾 🐾
🐾 🐾 🐾 🐾

El grito de un águila atravesó el horizonte al salir el sol. Dentro de la tienda oscura, Kushi se despertó y escuchó un alboroto entre los hombres. Por un momento, pensó que podría ser la manada invadiendo la aldea.

Si pudiera ver sólo un momento, pensó. Pero había dolor y frío. El chico que estaba allí con ella echó un vistazo afuera. Kushi notó una sonrisa. Dijo algo y luego se volvió hacia ella como si pudiera mantenerla a salvo. Agachado, se abrazó las rodillas y arregló la piel marrón de buey almizclero. Ella se sintió mejor.

Desde lo alto de las rocas, Ludo apuntó con el hocico hacia el lado por donde descendía el sol. Olió un olor que lo asustó. Nipo olfateó el aire, notando la señal de advertencia de Ludo. Confirmó que el olor era algo familiar. Lohri sintió que un frío horrible se apoderaba de su cuerpo y la vieja Leksy se dio cuenta de que el extraño olor que venía del oeste era tan terrible y aterrador como el olor a fuego.

—¡La manada de hombres! —dijo Anik, al ver a los hombres y sus lobos bárbaros acercándose al pueblo.

—Ese olor de ellos que olemos —reveló Leksy— no venía del pueblo donde está Kushi. El olor de la manada de hombres está en las montañas.

Los lobos se estremecieron cuando se dieron cuenta de que algo terrible estaba por suceder.

—La manada de hombres se escondía en las montañas —se dio cuenta Anik con los pelos de su cuerpo erizados—. ¡Estaban esperando el momento adecuado para atacar esa aldea!

Los lobos se miraron con sorpresa. Los hombres bárbaros caminaban a paso rápido. Con ellos, había innumerables lobos que claramente fueron instigados a una voracidad igual a la de esos hombres pintados y cubiertos por innumerables pieles de animales.

—¡Kushi está ahí abajo! —dijo Ludo exaltado—. Nino y Felicia también morirán si no hacemos nada.

En ese momento, miró a Lohri, como si esperara una orden.

—No solo están en peligro —recordó la gran loba alfa—. Si no que todos los hombres de ese pueblo.

Capítulo 18

Los lobos de la manada de Lohri aullaron tan fuerte como pudieron. Era la única forma de alertar al pueblo del próximo ataque. Los hombres del pueblo se sorprendieron ese amanecer.

El rugido de los hombres bárbaros resonó en el horizonte mientras sumergía su furia y la de sus lobos en la llanura donde vivían sus víctimas. Los aldeanos estaban aterrorizados. Los niños necesitaban defenderse de ese ataque; gritaron de miedo y los hombres se prepararon con sus lanzas y piedras. Las mujeres se unieron a los niños y, con la valentía de cada mujer con sus crías, se dispusieron a defenderlos.

Cuando el grupo de bárbaros llegó al campamento, los pobladores vieron que iban acompañados de lobos voraces, que avanzaban en un ataque de cólera nunca visto en lobos salvajes.

Se produjo un enfrentamiento entre esos aldeanos y los lobos de los bárbaros. Las lanzas que los hombres usaban para defender la aldea pronto causaron la muerte de algunos animales, pero los lobos más amenazantes y hábiles pudieron herir a muchos. Los brazos y piernas heridos dejaron a los aldeanos incapaces de combatir. Y fue para saquear como esos bárbaros criaron a sus lobos.

Los invasores arrojaron sus armas afiladas, asustando a los aldeanos, que corrían desesperados mientras caía la peligrosa noche. Encendieron sus antorchas y avanzaron contra los lobos voraces y los bárbaros en una guerra de muerte.

Nino y Felicia se unieron para defender el pueblo: avanzaron y ladraron contra los lobos. Felicia, por pequeña que fuera en su tamaño, reveló un coraje del que solo un perro gamberro era capaz. Nino fue instigado por ese coraje. Así que avanzaron juntos, asustando a los lobos con el volumen de sus ladridos, impidiéndoles entrar en la gran carpa donde se habían refugiado mujeres y niños.

Kushi tembló, asustada, ante esos oscuros sonidos que hacían los hombres cuando estaban enfurecidos. Fue cuando vio la mirada tranquila del chico transformarse en una mirada de miedo, que inmediatamente se dio cuenta de que algo estaba fuera del control de los aldeanos.

Entonces todo el pueblo pudo escuchar aullidos muy fuertes y salvajes provenientes de las rocas, un aullido seguido de otro mucho más feroz y constante. Oyeron varios aullidos, componiendo una melodía aterradora tan cerca de ese pueblo. Los aldeanos miraban tensos las montañas, temiendo que los bárbaros fueran a superarlos en número y que se produjera un nuevo ataque para acabar con estas familias, que se habían desarrollado durante muchos años en esa llanura. Miraron hacia la espesa niebla matutina y vieron que la luz de la luna tocaba a un grupo de cinco lobos que bajaban de la colina a una velocidad inusual.

Al escuchar el aullido de ataque de su manada, Kushi se desesperó cuando imaginó que ese horrible enfrentamiento tendría lugar entre los aldeanos y su propia manada. El niño y el lobo se encogieron al ver pasar la luz del fuego junto a la tienda. Kushi sintió que el calor parecía querer entrar, devastando todo allí. El chico estaba tan asustado como ella. Se agachó junto a ella, llorando de la misma manera que lloran los lobos.

Se produjo un gran destello en la noche. El calor que tocó a Kushi le hizo darse cuenta de que la aldea estaba en llamas. Se desesperaba por no entender lo que su manada había preparado contra los hombres, pero extrañamente no podía oler el familiar aroma de sus amigos lobos, a pesar de escuchar las voces de

Nino y Felicia, como si estuvieran muy asustados. Pensó, por un momento, que los perros intentarían evitar que la manada atacara la aldea.

Nino luchó con algunos lobos y se hirió en la pata y en la espalda. No fue fácil superar la fuerza de sus ancestros cazadores. Pero pronto la gran llama que consumió la aldea había asustado a la mayoría de los bárbaros invasores. No le tomó mucho tiempo seguir al lado de Felicia hacia las tiendas atacadas, protegiendo a los que estaban allí. Tenía el hocico desgarrado y había perdido un diente.

Lohri guió a sus lobos a través de las llanuras en una carrera. Nipo, Ludo, Anik y Leksy la seguían de cerca, feroces y motivados por la vida de Kushi y el coraje de los lobos del destino. Vieron que el fuego alcanzaba el cielo y el calor tocaba la piel sensible de los hombres. Eso fue suficiente para ahuyentar a cualquier lobo atroz, pero Lohri guió a su manada por la aldea, dando vueltas en la nieve, tratando de alcanzar la manada de hombres. La nieve se echó hacia atrás en el enfrentamiento.

Los aldeanos blandieron sus lanzas y hachas de madera contra la furia de esos terribles bárbaros. Esa mañana había estado marcada por gritos y dolor. Los invasores no perdonaron a nadie que se cruzara en sus caminos. Los aldeanos sabían que esta forma de ataque ya había acabado con la vida de muchos de sus antepasados. Así sobrevivieron las tribus saqueadoras durante miles de primaveras. Destruyeron todo lo que encontraron en el camino, ya que había una fuerza extraña en los hombres que les hacía temer la supervivencia y procreación de otras tribus, como si eso pudiera amenazarlos en el futuro. Pero los aldeanos lucharon valientemente unos por otros. Usaron toda la fuerza que obtuvieron en esos años en sus largas y arriesgadas cacerías a través de peligrosas montañas.

Tan pronto como llegó a la aldea, Lohri se batió en duelo con uno de los lobos bárbaros y, sosteniendo las mordeduras con su propia boca y colmillos, forzó la fatiga del enemigo. Pero antes de que pudiera hacerlo retroceder, un lobo más pequeño saltó sobre el costado de la loba alfa y la derribó.

Un gruñido peligroso reverberó en la llanura, y la loba alfa solo vio a Ludo sacudiendo al lobo más pequeño, atrapado por la garganta, entre los dientes mortales y precisos del lobo negro. Lohri, que intercambió mordiscos contra los poderosos dientes de otro macho, logró que se rindiera y se retirara. Luego le dio a Ludo una mirada de agradecimiento, quien la recibió y la regresó con una mirada de perdón.

Anik y Leksy enfrentaron a un grupo de tres lobos heridos, ahuyentándolos y avanzando sobre sus patas ensangrentadas. Nipo, que no estaba lejos, se enfrentó a un lobo cuando un humano bárbaro intentó golpearlo con un hacha. Ludo sorprendentemente mordió la pierna del hombre y tiró con fuerza. Esa era la oportunidad para que un aldeano defendiera a su tribu y superara la fuerza de ese bárbaro, dejándolo tirado en el suelo con la mirada vacía.

Lohri vio a los bárbaros llegar rápidamente al paradero de su manada. Eran en gran número. Algunos de ellos trajeron el fuego en enormes antorchas, hechas con pedazos de las tiendas destruidas. El olor de piel quemada intimidaba a los lobos de Lohri.

—Son muchos —gruñó Nipo. —¡No podemos con el maldito fuego!

La loba alfa gruñó y saltó desesperada hacia el bárbaro que se le adelantó portando una antorcha. Sintió el calor por todo su costado, y mientras se mordía el brazo con tanta fuerza como podía, sintió que el fuego consumía el pelo de su cuerpo. Lohri saltó sobre la nieve y rodó sobre ella, esquivando los golpes fatales del hacha que había estado rasgando la nieve frente a ella. La gran loba alfa retrocedió asustada. Se había dado cuenta de que la furia de los bárbaros vencía al número de aldeanos, y que sus lobos no serían suficientes para enfrentarlos.

Un ladrido reverberó por la llanura. Pronto Leksy reconoció que era Nino. Los lobos vieron al perro atravesar las tiendas en llamas junto a Felicia. Avanzaron hacia los lobos que rodeaban la manada de Lohri. Sus fuertes ladridos ahuyentaron a algunos enemigos, incluidos los bárbaros que se retiraron asombrados de que nunca habían visto ese tipo de lobo ruidoso. Pero cuando se animaron a enfrentarse a ellos, una enorme silueta apareció desde lo alto de las rocas. Los bárbaros miraron con asombro la aterradora imagen de una enorme cabeza con cuernos y un gran pájaro con las alas abiertas que aparecían de repente. Un grito del águila viajó por el cielo en esa llanura y fue acompañado por una sinfonía de aullidos, que venían de muchas direcciones.

De las sombras de la noche emergieron decenas de ojos azules y oídos atentos. Los bárbaros vieron cómo las manadas avanzaban por la llanura. Innumerables lobos avanzaron sobre ellos y sus traidores lobos, asustando a muchos de ellos, que huyeron a los bosques. Sin embargo, antes de que fuera posible meterse entre los arbustos y perder de vista, habían alcanzado a la manada de hombres y lucharon contra sus hachas, lanzas y fuego.

Los aldeanos no pudieron comprender lo que había hecho la naturaleza. La silueta de la enorme águila sobre el alce había desaparecido. Los lobos que habían llegado de las montañas luchaban contra el grupo de bárbaros. Ayudaron a derribar a unas pocas docenas de ellos junto con la fuerza de los hombres y mujeres que quedaban en ese pueblo.

Ya había amanecido cuando solo vieron humo y llanto. Las manadas habían abandonado los bosques de la montaña sin demora, ahuyentadas por el terrible incendio que había devastado la aldea y asustadas por el olor de la sangre de lobos y hombres. Solo se acercaba un lobo desconocido. Se acercó a Lohri y le hizo una reverencia. La loba alfa devolvió.

—Gracias por ayudarnos, pero ... ¿de dónde vienes?

El lobo desconocido giró su hocico hacia el cielo y luego hacia Lohri.

—Escuché el Gran Aullido noches atrás y me fui de aquí con mi manada.

—¿Sabías entonces también sobre la domesticación?

—¿Domesticación? No sé que es eso.

—Si escuchaste el Gran Aullido es porque eres el lobo alfa de la manada y recibiste una misión de los ancestros.

—Sí, nuestra misión era protegerte a ti y a esta gente.

—¿Cómo?

—No sé cuál era la misión de tu manada, pero la mía está terminada.

Se escuchó un aullido. Lohri y el lobo se volvieron hacia la montaña; su manada lo estaba esperando. Reverenció a Lohri y siguió su camino, hasta que desapareció detrás de la montaña.

Lohri se unió a su manada nuevamente.

Los aldeanos miraron con curiosidad a esos cinco lobos que habían llevado a tantos otros lobos allí. La manada de Lohri, incluso tentada a huir, permaneció. Nino y Felicia estaban con ellos, también heridos, y buscaban a Kushi.

—Algo me intriga, Lohri. ¿De dónde vinieron estos lobos? ¿Por qué nos ayudaron?

Ella le sonrió y simplemente respondió.

—Deberías confiar más en tus ancestros, Ludo.

El lobo negro estaba pensativo. Era hora de hacer las paces con sus antiguas creencias. De repente olió algo:

—Encontré algo aquí —dijo Ludo.

Tenía esperanzas cuando notó el olor familiar de Kushi debajo de una pila de tejidos. El lobo metió su hocico negro y cavó en busca del lobo. Pero algo lo hizo retroceder, sobresaltado. Lohri avanzó, creyendo que era un lobo bárbaro, pero vio que estaba completamente equivocada.

—Leksy, ven a ver eso —dijo, mirando a la anciana blanca a los ojos.

La loba dio un paso al frente y los demás se acercaron, ansiosos por ver qué era tan extraordinario ante ellos. Entonces, vieron a un pequeño cachorro humano abrazando a Kushi. Miró a los lobos, sorprendido. Lloró cuando vio su aldea destruida. El lobo herido miró a Leksy de forma hipnótica.

La manada de Lohri se alejó cuando vieron que un grupo de aldeanos se había acercado al pequeño cachorro humano cuando escucharon sus gritos. Decidieron volver a las rocas desde donde podían ver mejor lo que pasaba en la llanura. Nino y Felicia se quedaron a buscar más heridos que pudieran estar debajo de las carpas y en los bosques.

—No hay forma de llevar a Kushi con nosotros —dijo Lohri para que todos pudieran escuchar—. Ella está muy herida.

—Pero no hay nada que nos impida vivir en estas rocas esperando su recuperación —sugirió Anik esperanzada—. Aún no hemos terminado.

La gran loba alfa miró a la aldea y contempló lo que había experimentado su manada en los últimos días. Comprendió que nunca volverían a ser los mismos.

Nino, que estaba mirando la aldea destruida, sintió una gran tristeza. Pensó en cómo era posible tener lobos tan terribles como los bárbaros que habían causado todo esto. Mientras tanto, los aldeanos se preguntaban cómo sería posible tener hombres tan terribles como los propios lobos. Y ese día, Kushi, junto al niño, entendió que los lobos podían ser más peligrosos que los hombres, y que esta decisión dependía del lobo mismo, al igual que la misma decisión dependía del propio humano.

Capítulo 19

Los aldeanos reconstruyeron sus tiendas al otro lado de la llanura, pero Kushi y los perros entendieron que aún quedaban pocas casas. Esto podría significar muchas cosas en la vida de esas personas. Varios de ellos perecieron en el enfrentamiento y perdieron todo lo que tenían.

Kushi, con cuidado, pudo caminar por la aldea. La loba mejoraba a cada nuevo día, sentía menos dolor, pero algo era diferente en su forma de caminar. Ya no tendría esa vieja agilidad de un lobo ejemplar. Sabía que su manada no estaba lejos. Podía oírla aullar durante las primeras noches que siguieron. Esa era una forma de hacerle saber que la estaban esperando. Una mañana, cuando el sol llegaba tímidamente, Kushi buscó a Nino y Felicia. Necesitaba un consejo importante.

Nino la vio caminar pensativa hacia él. Luego se sentó a

su lado, mirando el pueblo y todos los que trabajaban allí. Esa gente quería volver a existir.

Felicia llegó tan rápido que pudieron ver cómo se levantaba la nieve. Estaba ansiosa por saber qué iban a decidir los lobos.

Kushi miró a esas personas, que acababan de despertarse con el amanecer.

−¿Qué piensas de ellos? −preguntó Felicia.

Ella también acababa de despertar. Pero Kushi no pudo dormir por la noche. Algo la impulsó a mirar las montañas.

Es curioso, pensó en silencio, *los hombres tienen hábitos diurnos. Nino y Felicia también.* Pero no los lobos. Luego suspiró un buen rato, dándose cuenta de que los perros se despertaban y se iban a dormir al mismo tiempo que los humanos.

−Creo que el destino del lobo es estar al lado de los hombres −dijo Kushi, ahora mirando a Nino−. Pero no voy a negar que temo por ese destino.

−Tienes toda la razón −dijo Nino−. No te dije antes lo que te voy a decir ahora, porque no quería que te hicieras una idea equivocada sobre los hombres. Pero fui abandonado cuando era solo un cachorro. El hambre llegó como una lluvia torrencial, pero un hombre llegó antes de mi muerte y se convirtió en mi dueño; y esta es mi historia. Tengo dueño, pero me da miedo pensar que mis hermanos no tuvieron tanta suerte.

Felicia se sentó frente a Kushi y suspiró.

—Me encontraron bajo el sol abrasador, atada durante días, sin agua para beber. Cuando casi acepté que la muerte vendría a llevarme, una persona me soltó. Después de ese día, me di cuenta de que muchos hombres no quieren la responsabilidad de tener que mirarnos todos los días. No puedes controlar el destino, pero puedes tener suerte de que alguien se compadezca de ti. Muchos no tienen tanta suerte, así que se detuvo a pensar. La gente es más poderosa que el destino. Pueden elegir adoptar un perro. Pero todavía vivo en las calles.

Kushi la escuchó con atención.

—Un cachorro no puede imaginar lo terrible que puede ser nacer. Eso quizás signifique tu abandono, sufrimiento y muerte —prosiguió Felicia, con tristeza en los ojos—. Pero esta inocencia de los cachorros los protege del mundo, hasta que los hombres deciden por su destino. Como dije, son más poderosos que su propio destino porque deciden por el futuro de muchos cachorros, perros jóvenes y viejos.

—El padre del cachorro del hombre que me cuidó no sobrevivió —dijo Kushi con pesar—. Y no hay nadie más para protegerlo, excepto la gente del pueblo.

Felicia la miró con tristeza y movió la cola. Entendió que Kushi estaba dispuesta a pensar en su propio destino.

—Quiero volver a mi casa, porque las calles son mi hogar —dijo Felicia—. Pero volveré con la esperanza de encontrar al dueño que el destino me ha reservado. Veo que un lobo puede elegir su destino junto a un hombre en la misma medida en que todo hombre buscará un compañero como el lobo.

—El mundo de los hombres es más peligroso de lo que imaginaba. Pensaba que los hombres no tenían depredadores, pero su propia especie estaba dispuesta a aprovecharse de él —dijo la loba pensativa—. El niño es solo un cachorro indefenso.

Kushi sintió que había lágrimas en sus ojos y un vacío muy grande. Tenía que hacer su elección.

Capítulo 20

Esa noche, Nino y Felicia miraron las montañas. Ya no sabían cuánto tiempo habían estado allí. Vio tristeza y preocupación en los ojos de su amiga. Nino no comió casi nada de lo que le ofrecían los humanos y pasó la mayor parte del día mirando las montañas, como si esperara que la manada regresara a buscarlo a él y a Felicia, y los devolviera a su tiempo real. Felicia también estaba ansiosa por volver a ver a sus amigos en las calles, esperando saber que, durante su ausencia, habían encontrado dueño. Se juró a sí misma que nunca perdería la esperanza de poder encontrar a su propio dueño.

Ese día, cuando la niebla era densa y vacía para la memoria de un perro, Nino olió la manada de Kushi en las afueras del pueblo. La mirada de Lohri apareció, humeante en la oscuridad, seguida por las ansiosas miradas de Ludo, Anik, Nipo y Leksy. Los aullidos de Kushi revelaron que había recuperado su fuerza, a pesar de que, en el fondo, sabía muy bien que nunca volvería a ser la cazadora ejemplar que alguna vez fue. Pero había llegado el momento de recogerla, de reunirse con su familia nuevamente.

—¿Crees que ella vendrá? —dijo Nipo, preocupado.

—Creo que sí —respondió Ludo, no muy seguro.

—Ella ya no parece tener miedo de los hombres —observó Anik—. La salvaron.

Lohri y Leksy se miraron, temerosos de la elección de Kushi.

Nino y Felicia estaban felices con ese reencuentro, que significaría el tan esperado regreso a casa. No estaban acostumbrados a tanto frío.

Kushi observó el reencuentro, distante. Miró su manada con tristeza, tal vez casi tan vaga como un viento largo y monótono. Lohri y su manada admiraron la recuperación de la loba y esperaban su regreso.

Pero, suavemente, la imagen de la mirada de un cachorro humano se hizo clara en la niebla ... Vio a Kushi sentada y tocó su suave pelaje, siempre fascinada por su belleza.

El pequeño vio que la manada estaba del otro lado, esperándola. Kushi debía irse con los lobos. El niño le decía cosas que ella no podía entender, pero ella entendía, en esa mirada, el sentimiento del pequeño.

Kushi miró de nuevo a Lohri y su familia. Volvió a mirar a Nino y Felicia, quienes meneaban la cola con gracia. Ella había entendido la importancia de ese encuentro con los lobos del mañana y sus enseñanzas sobre el mundo humano. Como la vieja Tuska dice una vez: solo un lobo que hubiese vivido entre hombres sabría cómo tratar con ellos de verdad.

Kushi le dio la espalda a la manada, para que el cachorro humano pudiera mirarla de frente y a su altura. Ella notó que él estaba sufriendo ante ella, en silencio. Sus ojos tenían el mismo brillo que los de Nino cuando hablaba de su dueño. Ella entendió que estaba llorando. Entonces, el cachorro humano la abrazó y Kushi nunca se apartó de su lado.

No hubo animal o antepasado que no pudiera ver que el destino del lobo estaba sellado con el destino del hombre, así como el curso de los ríos estaba escrito en las curvas de los valles.

Capítulo 21

Nino y Felicia miraron al cielo, encantados por la belleza mística del Monte de los Aullidos. Hubo un suspiro en cada uno de ellos, conmovidos por la fuerza de la divinidad ancestral y las formas que usaban para enseñar a los lobos las verdades de la vida.

El perro grande y el pequeño esperaban con ansias por ese viaje. Se preguntaron por qué fueron elegidos para esa tarea de mostrar a los lobos su importancia en la vida humana. Recordaron que, justo antes de terminar ese viaje, Nino y Felicia soñaron con sus dueños. Ella, al menos, soñaba con tener uno.

El águila real chilló sobre el horizonte. Abrió las alas y cerró los ojos. Una cadena de luz fosforescente como las Auroras Boreales descendió del cielo y golpeó la nieve. Un resplandor se extendió a través de las sombras de los árboles, cubriendo a los perros. Un calor los llenó rápidamente y, cuando se dieron cuenta, estaban dentro de un círculo azul brillante. Ante ellos, innumerables lobos viejos los miraron. Entonces, estaban seguros de que todos los que estaban allí ya habían vivido en esas montañas. Los perros comprendieron de inmediato que estaban mirando a sus antepasados.

Nino y Felicia se miraron por una última vez, hasta que sus imágenes desaparecieron por completo, como la nieve en el deshielo.

Capítulo 22

La manada siempre pasaba por la llanura donde existía la aldea de hombres. Los lobos solían aullar para saludar a Kushi, quien rápidamente respondió a esa llamada con el majestuoso aullido de un lobo de montaña. Ella había hecho su elección. Había elegido el destino de los lobos, sellando su destino con el de un niño. Los lobos que conocieron esa emocionante historia recordaron al pequeño cachorro humano con el nombre de Dueño.

Entonces mi bisabuelo terminó la historia de Kushi, y pensé en la responsabilidad que había heredado con los hombres luego de conocer toda esa leyenda y su importancia como dueño.

—Entonces el destino del lobo también es mi responsabilidad — le dije a mi bisabuelo, quien sonrió con satisfacción ante mi conclusión. Era inevitable vivir con un perro después de toda esa historia.

—Los perros nos consagran como consagramos una religión —explicó—, nos veneran como sus héroes y nos hacen sentir extraordinarios. Nos hacen sentir extraordinarios cuando nos encontramos tan frágiles y pequeños ante el mundo.

Y cuando dije eso, volvimos a mirar las Auroras Boreales, que bailaban silenciosamente sobre nuestras cabezas.

—Y hay quienes dicen que si pudiéramos aislar el amor de un perro, no habría lugar posible donde guardarlo —finalizó.

Entonces mi bisabuelo se levantó y lo seguí durante unos minutos, en silencio, tratando de entender qué más me diría de esa extraordinaria leyenda. Cuando rodeamos el sendero por la ladera de la montaña y esquivamos algunas rocas, me estremecí frente a la gran llanura que vi abrirse ante mis ojos. Y allí mismo, en la distancia, pude ver claramente un entorno que más se parecía a un sitio arqueológico conservado. Cuando le devolví la mirada de asombro, mi Biso me sonrió con orgullo, con los brazos abiertos, como siempre hacía:

—Cada perro del mundo tiene en su alma el rostro del alma de Kushi.

Nos abrazamos mientras contemplamos un magnífico tótem tallado en un tronco de secuoya. Representaba a un hermoso lobo que llevaba en la cabeza un majestuoso alce que, a su vez, portaba una gran águila con las alas abiertas.

Paola Giometti es doctora en Ciencias y escritora. A los once años fue la escritora más joven de Brasil y es conocida por escribir libros ambientados en entornos árticos que hablan de la vida silvestre, el folclore y la mitología nórdica. Escribió la serie Tales of the Earth (Fábulas de la Tierra), siendo The Destiny of the Wolves (El Destino del Lobo) seleccionado como uno de los mejores libros de ficción por Reedsy Discovery en 2020 y medalla de oro en el Literary Titan Book Award en 2021. Ganó siete Alien Awards con el libro Drako e a Elite dos Dragões Dourados y fue finalista del premio Reconocimiento Internacional de Literatura Brasileña promovido por la Academia Internacional de Literatura Brasileña y Focus Brazil New York 2020. Actualmente vive en Tromsø, un pequeño pueblo al norte de Noruega, con su prometido y sus mascotas serpientes. Sigue Paola en Instagram @paolagiometti

Lee también

La Señora de la Tundra tiene lugar en un período oscuro de la era vikinga, donde los escandinavos creen que los dioses los han abandonado. Jarnsaxa es una draugr, bastarda del rey Drakkar, y camina junto a sus draugar de armas. Ningún lugar es seguro durante el invierno polar, ya que un draugr caza en la oscuridad. Atormentada por una revelación del pasado que implica a su rey, Jarnsaxa se convierte en una desertora que se esconde entre pueblos, montañas y santuarios en busca de un hombre que se dice que es un enviado de las Nornas y Odín, y que puede matar a Drakkar. El material aporta un tratamiento interesante a la época vikinga a través del folclore, la mitología y la magia nórdica mediante la experiencia, impresiones y estudios de la autora, que vive en un pueblo en el extremo norte de Noruega.

Printed in Great Britain
by Amazon